1551820051

中华人民共和国国家标准

升船机设计规范

Design code for shiplift

GB 51177-2016

主编部门：中华人民共和国水利部
批准部门：中华人民共和国住房和城乡建设部
施行日期：2 0 1 7 年 4 月 1 日

中国计划出版社

2016 北京

中华人民共和国国家标准
升船机设计规范
GB 51177-2016
☆
中国计划出版社出版发行
网址：www.jhpress.com
地址：北京市西城区木樨地北里甲11号国宏大厦C座3层
邮政编码：100038　电话：（010）63906433（发行部）
三河富华印刷包装有限公司印刷

850mm×1168mm　1/32　5印张　123千字
2017年3月第1版　2017年3月第1次印刷
☆
统一书号：155182·0051
定价：30.00元

版权所有　侵权必究
侵权举报电话：（010）63906404
如有印装质量问题，请寄本社出版部调换

中华人民共和国住房和城乡建设部公告

第 1280 号

住房城乡建设部关于发布国家标准《升船机设计规范》的公告

现批准《升船机设计规范》为国家标准,编号为 GB 51177—2016,自 2017 年 4 月 1 日起实施。其中,第 4.3.14、6.5.16、6.7.5(3)条(款)为强制性条文,必须严格执行。

本规范由我部标准定额研究所组织中国计划出版社出版发行。

中华人民共和国住房和城乡建设部
2016 年 8 月 18 日

前　言

本规范是根据住房城乡建设部《关于印发〈2008 工程建设标准规范制订、修订计划(第二批)〉的通知》(建标〔2008〕105 号)的要求,由水利部水利水电规划设计总院与长江勘测规划设计研究院会同有关单位共同编制完成的。

本规范在编制过程中,编制组经广泛调查研究,认真总结实践经验,参考有关国际标准,并在广泛征求意见的基础上,最后经审查定稿。

本规范共分 8 章和 5 个附录,主要技术内容包括:总则、术语、基本规定、选型及布置、建筑物设计、金属结构和机械设备设计、电气系统设计、消防及火灾自动报警等。

本规范中以黑体字标志的条文为强制性条文,必须严格执行。

本规范由住房城乡建设部负责管理和对强制性条文的解释,水利部负责日常管理,水利部水利水电规划设计总院负责具体技术内容的解释。在执行本规范过程中,请各单位结合工程实践,认真总结经验,并将意见和建议反馈水利部水利水电规划设计总院(地址:北京市西城区六铺炕北小街 2-1 号,邮政编码:100120,E-mail:jsbz@giwp.org.cn),以供修订时参考。

本规范主编单位、参编单位、主要起草人和主要审查人:
　　主编单位:水利部水利水电规划设计总院
　　　　　　长江勘测规划设计研究院
　　参编单位:广西电力工业勘察设计研究院
　　　　　　中国水利水电科学研究院
　　　　　　河海大学
　　　　　　武汉船舶工业公司

中国长江三峡集团公司
武汉大学
杭州国电机械设计研究院有限公司

主要起草人： 钮新强　覃利明　温续余　于庆奎　童　迪
　　　　　　　吴小宁　廖乐康　吴俊东　招　滨　胡　晓
　　　　　　　汪基伟　朱　虹　段　波　唐　勇　江宏文
　　　　　　　汤长书　彭荣生　伍友富　孙　敏　吴小云
　　　　　　　石端伟　李学安　宋志忠　邓东升　陆　辛
　　　　　　　刘红兵　梁仁强　沈寿林　刘　辉

主要审查人： 刘志明　田泳源　宋维邦　陈厚群　梁应辰
　　　　　　　江欢成　党林才　赵锡锦　周　氏　雷兴顺
　　　　　　　姚宇坚　云庆龙　朱　峰　董博文　杨类琪
　　　　　　　扈晓雯　黄文利　陆景孝　陈寅其　苏海东
　　　　　　　代诗刚　张启平　胥福尧　马小亮　刘红旗

目　　次

1 总　　则 …………………………………………… (1)
2 术　　语 …………………………………………… (2)
3 基本规定 …………………………………………… (5)
　3.1 级别划分和设计标准 …………………………… (5)
　3.2 承船厢与承船车有效尺度 ……………………… (6)
　3.3 通过能力 ………………………………………… (7)
4 选型及布置 ………………………………………… (11)
　4.1 形式选择 ………………………………………… (11)
　4.2 总体布置 ………………………………………… (12)
　4.3 垂直升船机布置 ………………………………… (12)
　4.4 斜面升船机布置 ………………………………… (15)
　4.5 上、下闸首设备布置 …………………………… (16)
5 建筑物设计 ………………………………………… (18)
　5.1 一般规定 ………………………………………… (18)
　5.2 设计荷载及荷载组合 …………………………… (18)
　5.3 结构设计 ………………………………………… (21)
　5.4 抗震设计 ………………………………………… (22)
6 金属结构和机械设备设计 ………………………… (23)
　6.1 一般规定 ………………………………………… (23)
　6.2 闸首金属结构和机械设备 ……………………… (24)
　6.3 承船厢与承船车结构 …………………………… (26)
　6.4 主提升机和牵引绞车 …………………………… (27)
　6.5 驱动系统和安全机构 …………………………… (32)
　6.6 平衡重系统 ……………………………………… (34)

6.7 承船厢设备 ……………………………………… （35）

7 电气系统设计 ………………………………………… （40）
　　7.1 一般规定 ………………………………………… （40）
　　7.2 供配电与接地 …………………………………… （40）
　　7.3 主电气传动系统 ………………………………… （42）
　　7.4 运行监控 ………………………………………… （44）
　　7.5 非电量信号检测 ………………………………… （47）
　　7.6 通航信号与语音广播 …………………………… （48）
　　7.7 图像监视 ………………………………………… （49）

8 消防及火灾自动报警 ………………………………… （50）
　　8.1 一般规定 ………………………………………… （50）
　　8.2 消防 ……………………………………………… （51）
　　8.3 火灾自动报警 …………………………………… （53）

附录 A 承船厢纵倾稳定性计算 ……………………… （54）
附录 B 塔柱风荷载体形系数 ………………………… （56）
附录 C 承船厢设计工况与荷载组合 ………………… （57）
附录 D 主提升机、驱动系统、牵引绞车设计工况与
　　　　荷载组合 ……………………………………… （62）
附录 E 驱动电动机功率计算 ………………………… （68）
本规范用词说明 ………………………………………… （70）
引用标准名录 …………………………………………… （71）
附：条文说明 …………………………………………… （73）

Contents

1 General provisions (1)
2 Terms (2)
3 Basic requirements (5)
   3.1 Project grading and design criteria (5)
   3.2 Effective scale of ship chamber and ship carriage (6)
   3.3 Navigation capacity (7)
4 Type selection and layout (11)
   4.1 Type selection of shiplift (11)
   4.2 General layout (12)
   4.3 Arrangement of vertical shiplift (12)
   4.4 Arrangement of inclined shiplift (15)
   4.5 Arrangement of equipment on upper bay and lower bay (16)
5 Civil structural design (18)
   5.1 General requirements (18)
   5.2 Design loads and load combinations (18)
   5.3 Structural design (21)
   5.4 Seismic design (22)
6 Metal structure and machinery design (23)
   6.1 General requirements (23)
   6.2 Metal structure and mechanical equipment on bays (24)
   6.3 Ship chamber and inclined carriage (26)
   6.4 Main hoist and towing winch (27)
   6.5 Rack and pinion drive system and safty mechanism (32)
   6.6 Counterweight system (34)

   6.7 Ship chamber equipments ································· (35)
7 Electrical design ··· (40)
   7.1 General requirements ······································ (40)
   7.2 Power supply and earthening ······························ (40)
   7.3 Main driving system ······································· (42)
   7.4 Operation monitoring ······································ (44)
   7.5 Non-electrical signal detection ··························· (47)
   7.6 Navigation signal and voice broadcast ······················ (48)
   7.7 Video surveillance ·· (49)
8 Fire-fighting facility and automatic fire alarm ············ (50)
   8.1 General requirements ······································ (50)
   8.2 Fire facility ··· (51)
   8.3 Automatic fire alarm ······································· (53)
Appendix A Pitch stability calculation of ship chamber
              shiplift ·· (54)
Appendix B Shape coefficient of tower for wind load ········ (56)
Appendix C Design conditions and load combinations for
              ship chamber ··· (57)
Appendix D Design conditions and load combinations for
              main hoist and drive system and winch ······ (62)
Appendix E Power calculation for driving motor ·········· (68)
Explanation of wording in this code ······························ (70)
List of quoted standards ·· (71)
Addition: Explanation of provisions ······························· (73)

1 总 则

1.0.1 为规范升船机设计,保证工程建设质量,使升船机设计技术先进、安全可靠、经济合理、管理方便,制定本规范。

1.0.2 本规范适用于新建、改建和扩建的内河100t～3000t级升船机设计。涉及的升船机形式包括钢丝绳卷扬式垂直升船机、齿轮齿条爬升式垂直升船机和钢丝绳卷扬不平衡式斜面升船机。

1.0.3 升船机设计应结合工程特点,充分吸取国内外成功经验,积极慎重地采用新技术、新材料、新设备和新工艺。

1.0.4 升船机设计除应符合本规范外,尚应符合国家现行有关标准的规定。

2 术　　语

2.0.1 升船机　shiplift

利用机械装置升降船舶以克服航道上集中水位落差的通航建筑物。

2.0.2 全平衡式升船机　fully balanced shiplift

平衡重总重与承船厢总重相等的升船机，也可称为不下水式升船机。

2.0.3 钢丝绳卷扬式垂直升船机　wire rope hoist vertical shiplift

承船厢通过钢丝绳卷扬机牵引实现垂直升降的升船机。

2.0.4 下水式垂直升船机　launching vertical shiplift

承船厢需入水运行的垂直升船机。

2.0.5 齿轮齿条爬升式垂直升船机　rack and pinion vertical shiplift

承船厢通过齿轮沿固定在塔柱上的齿条转动实现升降的垂直升船机。

2.0.6 钢丝绳卷扬式斜面升船机　towing winch inclined shiplift

承船车通过钢丝绳卷扬机牵引沿斜坡轨道升降的升船机。

2.0.7 承船厢　ship chamber

垂直升船机中运载船舶升降的设备。

2.0.8 承船车　ship carriage

斜面升船机中用以运载船舶的设备，由楔形车架和承船厢或承船架组成。

2.0.9 主提升机　main hoist

钢丝绳卷扬提升式垂直升船机中悬吊并驱动承船厢升降运行的机械设备，包括卷扬提升机构、同步轴系统、平衡滑轮组等。

2.0.10 驱动系统　drive system

齿轮齿条爬升式升船机驱动承船厢升降的机械设备，包括驱动机构、同步轴系统和齿条。

2.0.11 牵引绞车　winch

钢丝绳卷扬式斜面升船机中卷扬机构的别称。

2.0.12 平衡重　counterweight

用于平衡承船厢重量的设备。

2.0.13 转矩平衡重　torque counterweight

由缠绕在主提升机卷筒上的钢丝绳悬吊，其重力通过对主提升机卷筒施加转矩间接作用在承船厢上的平衡重。

2.0.14 重力平衡重　gravity counterweight

由支承在滑轮上的钢丝绳悬吊，其重力直接作用在承船厢上的平衡重。

2.0.15 可控平衡重　controllable counterweight

布置在可控卷筒上的重力平衡重。

2.0.16 额定提升力　rated hoist force

主提升机、驱动系统和牵引绞车在升船机机械设备设计寿命内克服外载，驱动承船厢运行的能力。

2.0.17 最大提升高度　maximum lift height

升船机升降船舶的最大高度。

2.0.18 承船厢总重　gross weight of a ship chamber

承船厢结构、设备及与有效水深对应的水体的重量之和。

2.0.19 允许误载水深　allowable water level difference

升船机正常运行所允许的承船厢或承船车水深与设计水深的差值。

2.0.20 干舷高　chamber freeboard

在设计水深条件下，承船厢或承船车水面至主纵梁顶面的垂直距离。

2.0.21 冲程 stroke
在承船厢或承船车工作行程的上、下极限位置外预留的行程余量。

2.0.22 主电气传动系统 main driving system
驱动承船厢运行的电气传动系统。对由多个单元机构驱动承船厢的升船机,主电气传动系统是多个单元电气传动系统的统称。

2.0.23 主传动协调控制站 coordination and drive controller
以可编程序控制器为核心,按照承船厢运行过程和时序,控制承船厢的启动、制动,协调主传动系统、制动器和润滑系统等设备之间动作的现地控制站。

2.0.24 主电气传动控制系统 main drive control system
主电气传动系统与主传动协调控制站的总称。

2.0.25 预加力矩 pre-torque
升船机安全制动器和工作制动器松闸前,主传动控制系统根据承船厢水深提前施加的持住力矩。

2.0.26 承船厢室 ship chamber space
由上下闸首、两侧承重结构、底板及顶部机房底板围成的区域,是垂直升船机承船厢升降的空间。

2.0.27 塔柱 tower
垂直升船机支承承船厢和平衡重系统的竖向支承承重结构。

3 基本规定

3.1 级别划分和设计标准

3.1.1 升船机的级别应按设计最大通航船舶吨级划分为6级,分级指标应符合表3.1.1的规定。

表3.1.1 升船机分级指标

升船机级别	Ⅰ	Ⅱ	Ⅲ	Ⅳ	Ⅴ	Ⅵ
设计最大通航船舶吨级(t)	3000	2000	1000	500	300	100

3.1.2 承船厢或承船车装载船舶总吨级在1000t及以上的应为大型升船机,100t级及以下的应为小型升船机,两者之间的应为中型升船机。

3.1.3 升船机的级别应与所在航道等级相同,其通过能力应满足设计水平年运量要求。当升船机的级别不能按所在航道的规划通航标准建设时,应做专题论证并经审查确定。

3.1.4 升船机的设计水平年宜采用建成后的20a～30a。对增建复线和改、扩建困难的升船机,应采用更长的设计水平年。

3.1.5 升船机设计采用的船型,应根据规划或拟定的标准船型,并兼顾现有船型确定。当缺乏标准船型资料时,可按现行国家标准《内河通航标准》GB 50139的有关规定,通过调查研究确定。

3.1.6 通航净空应符合现行国家标准《内河通航标准》GB 50139的有关规定。

3.1.7 升船机建筑物的级别应根据其所在升船机级别及建筑物在工程中的作用和重要性,按表3.1.7的规定确定。

表 3.1.7 升船机建筑物级别划分

升船机级别	建筑物级别		
	闸首	承重结构	斜坡道
Ⅰ	1	1	—
Ⅱ、Ⅲ	2	2	—
Ⅳ、Ⅴ	3	3	—
Ⅵ	4	4	4

3.1.8 位于综合枢纽挡水前沿的升船机闸首的级别应与枢纽其他挡水建筑物级别一致。

3.1.9 当承重结构级别在 2 级及以下,且采用实践经验较少的新型结构或升船机提升高度超过 80m 时,其级别宜提高一级,但不应超过枢纽挡水建筑物的级别。

3.1.10 承船厢升降运行时的允许误载水深值宜取 ±(0.05～0.15)m,对接工况的允许误载水深值应根据航道通航水位的变率和对接停留时间确定。

3.2 承船厢与承船车有效尺度

3.2.1 升船机承船厢或承船车的有效尺度应满足设计水平年设计最大船舶或船队并兼顾现有运输船舶过机的要求。有效尺度可按下列规定计算:

  1 承船厢或承船车的有效长度为两端防撞装置之间的净距离,可按下式估算:

$$L_x = l_c + l_f \quad (3.2.1\text{-}1)$$

式中:L_x——承船厢或承船车有效长度(m);

    l_c——设计最大船舶或船队的长度(m);

    l_f——两端富裕总长度(m),可按已建同级别的升船机确定或取 3m～7m。

2 承船厢或承船车的有效宽度为两侧护舷间的净距离,可按下式计算:

$$B_x = b_c + b_f \qquad (3.2.1\text{-}2)$$

式中:B_x——承船厢或承船车的有效宽度(m);

b_c——设计最大船舶或船队的宽度(m);

b_f——两侧富裕总宽度(m),应兼顾设计水深、船舶或船队进出承船厢速度要求,可取 0.8m～1.2m,当富裕总宽度小于推荐值时,应通过船模试验确定。

3 承船厢或承船车有效水深应满足设计船舶或船队满载条件下顺利进出升船机的要求,可按下式计算。当采用的设计水深小于计算值时,应通过船模型试验检验。

$$H = T + \Delta H \qquad (3.2.1\text{-}3)$$

式中:H——承船厢或承船车的有效水深(m);

T——设计最大船舶或船队满载时的吃水深度(m);

ΔH——富裕水深,可取 $0.25T \sim 0.40T$,对大型升船机,可通过船模试验确定。

3.2.2 湿运型斜面升船机承船车有效尺度应符合本规范第3.2.1条的规定。干运型斜面升船机承船车的有效宽度应符合本规范第3.2.1条的规定,其有效长度可小于设计最大船舶或船队的长度。干湿两用型斜面升船机,承船车的有效尺度可按干运型确定,但湿运过船时应根据承船车水域有效长度确定过船规模。

3.3 通过能力

3.3.1 升船机通过能力的计算应包括设计水平年内通过升船机的船舶或船队总载重吨位与客货运量两项指标,以单向通过能力表示。

3.3.2 升船机通过能力应与规划的客货运量相对应,根据一次通过的设计最大船舶吨位和通过时间、日工作小时和运行次数、通航天数、运量不均衡系数等因素确定。

3.3.3 船舶或船队进出升船机承船厢或承船车的时间,可根据船舶或船队运行距离和进出升船机速度按下列规定确定:

    1 船舶进出升船机的运行距离可按下列情况分别确定:

        1)单向过机,驶入距离应为船舶自升船机闸首前的停靠位置,驶至承船厢内停泊位置之间的距离;驶出距离应为船艇自承船厢内停泊位置,驶至升船机闸首外侧边缘之间的距离;

        2)双向过机,驶入距离应为船舶自引航道停靠位置,驶至承船厢内停泊位置之间的距离;驶出距离应为船艇自承船厢内停泊位置,驶至引航道靠船建筑物之间的距离。

    2 船舶或船队进出承船厢或承船车的速度不宜大于0.5m/s,对于大型升船机,可通过模型试验确定。

3.3.4 承船厢不下水式垂直升船机,一次过机时间可按下列公式计算:

    1 单向过机可按下式计算:

$$T_1 = 2t_1 + t_2 + 2t_3 + 4t_4 + 4t_5 + 4t_6 + 4t_7 + t_8 + 2t_9 + 2t_{10}$$

(3.3.4-1)

式中:T_1——单向一次过机时间(min);

    t_1——上闸首工作闸门开门或关门时间(min),可按现行行业标准《船闸启闭机设计规范》JTJ 309 的有关规定确定;

    t_2——单向第一个船舶或船队驶入升船机时间(min);

    t_3——承船厢提升或下降时间(min),可按本规范第6.1.10条规定的速度和加速度进行计算;

    t_4——闸首和承船厢闸门间隙水充水或泄水时间(min),可采用 0.5min~1.5min;

    t_5——闸首和承船厢闸门间隙密封机构推出或收回时间(min),可采用 0.5min~1.0min;

    t_6——承船厢顶紧或拉紧锁定装置推出或收回时间(min),

可采用 0.5min～1.0min；

t_7——对接锁定装置推出或收回时间（min），可采用 0.33min～0.50min；

t_8——单向第一个船舶或船队驶出升船机时间（min），可采用 0.5min～1.0min；

t_9——下闸首工作闸门开门或关门时间（min）；

t_{10}——船舶或船队驶入或驶出升船机的间隔时间（min）。

2 双向过机可按下式计算：

$$T_2 = 2t_1 + t_2' + 2t_3 + 4t_4 + 2t_5 + 4t_6 + 2t_7 + t_8' + 2t_9 + 4t_{10}$$
(3.3.4-2)

式中：T_2——上下行各一次的双向过机时间（min）；

t_2'——双向第一个船舶或船队驶入升船机时间（min）；

t_8'——双向第一个船舶或船队驶出升船机时间（min）。

3 一次过机时间应根据单向过机和双向过机的比率确定。当单向与双向过机次数相等时，可按下式计算：

$$T = \frac{1}{2}\left(T_1 + \frac{T_2}{2}\right)$$
(3.3.4-3)

式中：T——一次过机时间（min）。

3.3.5 承船厢下水式垂直升船机，一次过机时间可按下列公式计算：

1 单向过机可按下式计算：

$$T_1 = 2t_1 + t_2 + 2t_3 + 2t_4 + 2t_5 + 2t_6 + 2t_7 + t_8 + 2t_9 + 2t_{10}$$
(3.3.5-1)

2 双向过机可按下式计算：

$$T_2 = 2t_1 + t_2' + 2t_3 + 2t_4 + 2t_5 + 2t_6 + 2t_7 + t_8' + 2t_9 + 4t_{10}$$
(3.3.5-2)

3.3.6 升船机的日平均过机次数可按下式计算：

$$n = \frac{\tau \times 60}{T}$$
(3.3.6)

式中：n——日平均过机次数；
　　　τ——日工作小时(h)，取 22h。

3.3.7 升船机通过能力可按下列公式计算：

1 单向过机船舶总载重吨位可按下式计算：

$$P_1 = \frac{1}{2}nNG \qquad (3.3.7\text{-}1)$$

式中：P_1——单向过机船舶总载重吨位(t)；
　　　N——通航天数(d)；
　　　G——一次过机平均载重吨位(t)。

2 单向过机客货运量可按下式计算：

$$P_2 = \frac{1}{2}(n - n_0)\frac{NG\alpha}{\beta} \qquad (3.3.7\text{-}2)$$

式中：P_2——单向过机货运量(t)；
　　　n_0——日非运客、货船过机次数；
　　　α——船舶装载系数，可取 0.8～1.0；
　　　β——运量不均衡系数，即为年最大月货运量与年平均月货运量之比，可取 1.1～1.3。

3.3.8 设有可错船双向运行的中间渠道的多级升船机，用于运量计算的一次过机时间可按过机时间最长的一级升船机计算。

4 选型及布置

4.1 形式选择

4.1.1 升船机的形式应根据下列条件,通过技术经济综合比较确定:
   1 航运条件应包括通航规模、船型、货运量等;
   2 自然条件应包括地形、地质、水文、气象等;
   3 工程条件应包括枢纽总体布置、通航水头、水位变幅与变率、枢纽运行方式等;
   4 施工条件应包括施工程序和方法、对外交通等。

4.1.2 升船机形式的确定应兼顾枢纽泄洪、冲沙泄水、电站日调节和事故甩负荷等对升船机运行的影响,当没有工程案例可循时应通过模型试验确定。

4.1.3 升船机的级数宜采用单级,当受地形、地质条件限制或提升高度过大时,可采用两级或多级。

4.1.4 大中型升船机应采用湿运形式,干运形式仅可用于通航100t级货船的小型升船机。

4.1.5 大中型升船机宜选用垂直升船机。当枢纽河岸具备修建斜坡道的地形条件,且投资较小时,以通航货船为主的小型升船机,可选用钢丝绳卷扬式斜面升船机。

4.1.6 承船厢不下水式垂直升船机应采用全平衡式,承船厢下水式垂直升船机应采用部分平衡式。

4.1.7 当航道的通航水位变率相对较小时,宜采用不下水式垂直升船机;当航道的通航水位变率较大时,宜采用下水部式垂直升船机。

4.1.8 全平衡式升船机的驱动形式应经技术经济和安全性比较

后确定。

4.2 总体布置

4.2.1 升船机位置选择应符合下列规定：

1 宜选在地形地质条件好、河道顺直、河势稳定、场地开阔、交通方便、设备运输便利的位置；

2 应兼顾枢纽泄洪、电站机组调峰等下泄流量变化对通航水流的影响；

3 距天然河道的交叉河口或支流入口应有足够的距离，并应研究交叉河道汇流和泥沙对航行的影响。

4.2.2 升船机宜临岸布置，避免紧邻溢流坝、泄水闸、电站等过水建筑物，当难以避开时，应采取适当工程措施满足通航水流要求。

4.2.3 多级升船机之间的中间渠道或渡槽应满足船舶错船和停泊的要求。

4.2.4 升船机引航道的布置可按现行行业标准《船闸总体设计规范》JTJ 305 的有关规定设计。

4.3 垂直升船机布置

4.3.1 垂直升船机主体部分应包括上闸首、承船厢室段和下闸首。承船厢室段应由承重结构、顶部机房、承船厢结构及其设备、主提升机设备或承船厢驱动系统设备、平衡重系统及电气控制设备等组成。

4.3.2 垂直升船机土建结构与设备的布置应满足升船机运行要求，同时应兼顾土建结构和设备受力的合理性、施工的可行性、设备安装和运输维护的需要，以及内部交通和紧急疏散的要求。

4.3.3 承重结构顶部高程应满足上游最高通航水位、通航净空和冲程等的要求。承船厢室底面高程应满足下游最低通航水位、冲程、承船厢缓冲或锁定装置布置的要求，以及承船厢在下位安装检修的要求。平衡重井底面高程应满足下锁定设备布置冲程要求。

4.3.4 当承重结构下部需抵挡下游水位时,挡水部分的顶高程应与下闸首闸顶齐平。

4.3.5 承船厢室应设置承船厢检修、渗漏、降水和汛期淹没后的抽排水设施。

4.3.6 承重结构应设置从底板贯通至机房楼层的竖向交通楼梯和电梯,并应每隔一定高度设一条通向承船厢室的水平疏散通道。

4.3.7 承船厢结构在与承重结构疏散通道对应的部位应设置人员疏散设施,其布置、形式、尺度等应满足全部人员安全疏散的需要。

4.3.8 不下水式钢丝绳卷扬垂直升船机,宜在承船厢和平衡重运行的上下极限位分别设置锁定装置。下水式钢丝绳卷扬垂直升船机,宜在承船厢和平衡重的上极限位设置检修锁定装置,在下极限位设置检修平台。

4.3.9 承船厢室的平面尺寸应根据承船厢外形平面尺寸、承船厢设备布置与运行要求等确定。承船厢与闸首或闸首工作闸门止水座板之间的间隙可取 0.10m～0.25m。承船厢与两侧承重结构之间的间距可取 0.8m～1.4m。

4.3.10 垂直升船机承船厢宜采用四点驱动、对称布置。驱动点位置应满足承船厢纵倾稳定要求,并应按承船厢结构正常运行下受力合理的原则确定。

4.3.11 全平衡钢丝绳卷扬式垂直升船机的平衡重包括重力平衡重和转矩平衡重,当转矩平衡重重量较小时,可设置可控平衡重。当不设置可控平衡重时,转矩平衡重不宜小于承船厢结构和设备的总重量,并宜在设备布置允许条件下适当加大转矩平衡重的重量。下水式垂直升船机可只设转矩平衡重。齿轮齿条爬升式垂直升船机应只设重力平衡重。平衡重应在承船厢两侧分组对称布置。

4.3.12 钢丝绳的数量与规格应根据承船厢总重、平衡重总重、提升力大小、设备布置条件和承船厢结构确定。

4.3.13 垂直升船机卷筒和滑轮的名义直径 D 与钢丝绳直径 d 的比值不宜小于 60。

4.3.14 垂直升船机提升钢丝绳的安全系数按整绳最小破断拉力和额定荷载计算不得小于 **8.0**，平衡钢丝绳的安全系数按静荷载计算不得小于 **7.0**，钢丝强度等级不应大于 **1960MPa**。

4.3.15 钢丝绳卷扬式垂直升船机承船厢驱动点纵向间距不应小于承船厢总长度的二分之一，且应满足承船厢纵倾稳定性的要求。承船厢纵倾稳定性计算应符合本规范附录 A 的规定。

4.3.16 下水式垂直升船机平衡重的总重应按下式计算，且不宜小于承船厢总重的 70%。

$$W_c = \frac{\gamma W_s - P_2 + (2in)^{\frac{1}{p-1}}(W_t + P_1)}{1 + (2in)^{\frac{1}{p-1}}} \quad (4.3.16)$$

式中：W_c——平衡重总重量(kN)；

W_s——承船厢结构和设备重量(kN)；

W_t——承船厢总重(kN)；

γ——承船厢结构和设备在水中的重量折减系数，$\gamma = 0.85 \sim 0.92$；

p——主提升机减速器低速级驱动齿轮材料弯曲疲劳特性的参数，取值应符合现行国家标准《渐开线圆柱齿轮承载能力计算方法》GB/T 3480 的有关规定。对于渗碳淬火的渗碳钢，$p = 8.74$；

n——主提升机卷筒对应于承船厢在空气中提升高度的转动圈数；

i——减速器低速级传动比，当未知时可取 $i = 4 \sim 5$；

P_1——本规范表 D.0.2-2 中承船厢在空中升降工况第 5 项及第 7 项~第 11 项的合力(kN)；

P_2——本规范表 D.0.2-2 中承船厢在水中升降工况第 5 项及第 7 项~第 11 项的合力(kN)。

4.3.17 垂直升船机顶部机房的起重机形式、起升高度、跨度、起升重量和工作空间应满足设备安装检修的吊装要求。起重机及其组成部分的工作级别应符合现行国家标准《起重机设计规范》GB/T 3811 的有关规定。

4.4 斜面升船机布置

4.4.1 斜面升船机应包括斜坡道、机房与控制室、牵引绞车、承船车及其轨道、钢丝绳托轮与托辊、电气设备和检修设备。

4.4.2 斜面升船机斜坡道的坡度宜采用 1∶5～1∶20。

4.4.3 斜面升船机上下游导航墙宜沿斜坡道布置,并应满足承船车在通航水位变化范围内的停靠需要,上下游导航墙长度在最低通航水位时应按 50%～100%承船车长度的富裕量确定。

4.4.4 轨道长度布置应满足承船车在上下游最低通航水位之间运行的需要,除冲程外,轨道每端的富裕长度不宜小于 5m。

4.4.5 斜坡道较长时,承船车宜采用高、低轮支承方式;斜坡道较短时,宜采用高、低轨支承方式。

4.4.6 牵引钢丝绳的规格与数量应根据坡度、牵引重量以及承船车结构与牵引绞车的布置确定。卷筒、转向滑轮名义直径 D 与钢丝绳直径 d 的比值均不宜小于 45。牵引钢丝绳的安全系数和钢丝强度等级应与本规范第 4.3.14 条垂直升船机提升钢丝绳的要求相同。

4.4.7 牵引钢丝绳应设置钢丝绳长度调节和张力均衡装置,并宜设置张力检测设备。

4.4.8 在斜面升船机斜坡道上应设置钢丝绳托轮,在转向滑轮至卷扬机之间的绳道上应设置钢丝绳托辊。托轮间距不宜超过 15m,各托轮安装高程应根据承船车在不同位置时钢丝绳的高度确定。

4.4.9 钢丝绳卷扬式斜面升船机的轨道间距应根据设备布置确定,同时应满足承船车在非正常工况下横向抗倾覆要求。承船车的抗倾覆能力计算应符合现行国家标准《起重机设计规范》GB/T

3811 的有关规定。承船车宜设置锚定装置,锚定装置应按最大风载设计。

4.4.10 承船车的支承台车应设置轨铲结构。

4.4.11 双坡式斜面升船机采用驼峰过坝时,过驼峰的方式可为惯性式或驱动式。惯性式仅可用于小型斜面升船机。

4.4.12 对双坡式斜面升船机,应在斜坡道的驼峰部位布置导向滑轮组。驼峰顶部滑轮组安装高程的确定应使牵引钢丝绳在承船车运行过程中与水平面的夹角的变化最小。钢丝绳绕入或绕出卷筒和滑轮绳槽的最大偏斜角应符合现行国家标准《起重机设计规范》GB/T 3811 的有关规定。

4.5 上、下闸首设备布置

4.5.1 全平衡垂直升船机的上、下闸首应分别设置一道工作闸门和一道检修闸门。下水式垂直升船机下水端侧闸首应设置一道检修闸门,不下水端闸首应设置一道工作闸门和一道检修闸门。当工作闸门出现事故可能会导致较大危害时,应设置事故闸门。

4.5.2 闸首设备布置与选型除应满足升船机运行要求外,还应满足设备安装检修的要求。

4.5.3 闸首工作闸门形式应能适应通航水位变化。上闸首检修闸门的最高挡水位应与枢纽工程的上游最高挡水位一致。下闸首检修闸门最高挡水位应根据升船机的检修或防洪要求确定。

4.5.4 当闸首航槽的最大通航水深小于承船厢厢头高度以内时,闸首工作闸门和检修闸门宜选用提升式平面闸门;当闸首航槽的最大通航水深超出承船厢的厢头高度时,闸首工作闸门可选用带卧倒小门的下沉式平面闸门或上层为带卧倒小门的提升式平面闸门与下层为叠梁门的组合门形式。检修闸门可相应选用提升式平面闸门、叠梁门或上层为提升式平面闸门下层为叠梁门的组合门形式。

4.5.5 当闸首工作闸门采用提升式平面闸门时,启闭机宜选用固定卷扬式启闭机;当工作闸门采用下沉式平面闸门时,启闭机可选用固定卷扬式启闭机或液压式启闭机,可设置平衡重平衡工作闸门的部分重量;当闸首工作闸门采用提升式平面闸门与叠梁门组合形式时,启闭机宜选用移动式启闭机。检修闸门可根据门型选用固定卷扬式启闭机或移动式启闭机。

4.5.6 上闸首工作闸门采用平面闸门与叠梁门组合方案时,应在检修闸门与工作闸门之间设置泄水系统。当泄水系统的运行水头较高时,应采取有效的消能措施。

4.5.7 上下闸首工作闸门均采用提升式平面闸门时,承船厢对接拉紧装置和承船厢水深调节与间隙充泄水系统宜设置在闸首端部。

4.5.8 当闸首航槽两侧有交通要求时,应在航槽上方设置交通桥。交通桥形式可根据最高通航水位、闸顶高程、桥面宽度、荷载特性和通航净空等条件,选用固定式或活动式。

5 建筑物设计

5.1 一般规定

5.1.1 升船机建筑物的结构形式应根据其使用功能要求、结构受力条件及工程地质条件确定。

5.1.2 垂直升船机承船厢室段承重结构宜采用钢筋混凝土结构。

5.1.3 升船机承重结构建筑物布置与结构设计应符合下列规定：
   1 宜采用对称的结构体系；
   2 应满足承载能力和正常使用的要求；
   3 应避免因局部结构或构件的破坏而导致整个结构丧失承载能力；
   4 对可能出现的薄弱部位，应采取有效加强措施。

5.2 设计荷载及荷载组合

5.2.1 作用于升船机建筑物上的荷载应包括建筑物结构和设备自重、水压力和扬压力、浪压力、土压力、泥沙压力、风荷载和雪荷载、楼面(梯)及平台活荷载、温度作用、地震作用以及设备安装、运行、检修的荷载。

5.2.2 建筑物结构自重可按现行行业标准《水工建筑物荷载设计规范》DL 5077 的有关规定计算，钢筋混凝土的重度应由试验确定，当无试验资料时可取 $25kN/m^3$。

5.2.3 作用于机房和检修安装平台上的荷载应按其布置、检修安装的设备荷载取值。作用于楼面与楼梯上的活荷载取值应符合现行国家标准《建筑结构荷载规范》GB 50009 的有关规定。

5.2.4 升船机承重结构紧邻泄水建筑物时，水压力计算应包括脉动的影响。

5.2.5 风荷载可按国家现行标准《建筑结构荷载规范》GB 50009 和《高层建筑混凝土结构技术规程》JGJ 3 的有关规定计算。对称布置的垂直升船机承重结构的风荷载体形系数 μ_s 可按本规范附录 B 选取。

5.2.6 温度作用宜兼顾气温变化、气温骤降与日照影响。混凝土热学特性指标宜由试验确定,无试验资料时可按现行行业标准《水工混凝土结构设计规范》SL 191 的有关规定取值。

5.2.7 气温变化、气温骤降引起的温度场宜根据其温度边值条件按连续介质热传导理论计算。

5.2.8 直接采用温差分布计算日照作用时,温差分布宜通过试验确定。

5.2.9 承重结构应进行承载能力极限状态计算与正常使用极限状态验算,其不同工况的荷载组合应符合表 5.2.9-1 和表 5.2.9-2 的规定。

表 5.2.9-1 承载能力极限状态荷载组合

序号	荷载	基本组合						偶然组合	
		运行期				检修期			
		1	2	3	4	5	6	1	2
1	结构自重与设备自重	✓	✓	✓	✓	✓	✓	✓	✓
2	扬压力	✓	✓	✓	✓	✓	✓	✓	✓
3	土压力	✓	✓	✓	✓	✓	✓	✓	✓
4	风荷载、雪荷载	✓	✓	✓	✓	✓	✓	✓	✓
5	承船厢及设备、平衡重及设备作用在结构上的荷载	✓	✓	✓	✓	✓	✓	✓	✓
6	楼面(梯)及平台活荷载	✓	✓	✓	✓	✓	✓	✓	✓
7	水压力(运行期最高挡水位)	✓	✓	—	—	—	—	✓	—
	水压力(运行期最低挡水位)	—	—	✓	✓	—	—	—	✓
	水压力(检修期最高挡水位)	—	—	—	—	✓	✓	—	—

续表 5.2.9-1

序号	荷载	基本组合 运行期				检修期		偶然组合	
		1	2	3	4	5	6	1	2
8	温度作用(气温周期变化)	√	√	√	√	√	√	—	—
	温度作用(日照)	√	—	√	—	√	—	—	—
	温度作用(气温骤降)	—	√	—	√	—	√	—	—
9	地震作用	—	—	—	—	—	—	√	√

注：1 当结构自重及设备重对结构有利时,应予以折减；
    2 温度作用应予以折减,折减系数可取 0.3～0.4；
    3 风荷载、雪荷载、楼面(梯)及平台活荷载与地震组合时,应予以折减；
    4 "√"表示参与荷载组合,"－"表示不参与荷载组合。

表 5.2.9-2 正常使用极限状态荷载组合表

序号	荷载	基本组合 运行期				检修期	
		1	2	3	4	5	6
1	结构自重与设备自重	√	√	√	√	√	√
2	扬压力	√	√	√	√	√	√
3	土压力	√	√	√	√	√	√
4	风荷载、雪荷载	√	√	√	√	√	√
5	承船厢及设备、平衡重及设备作用在结构上的荷载	√	√	√	√	√	√
6	楼面(梯)及平台活荷载	√	√	√	√	√	√
7	水压力(运行期最高挡水位)	√	√	—	—	—	—
	水压力(运行期最低挡水位)	—	—	√	√	—	—
	水压力(检修期最高挡水位)	—	—	—	—	√	√

续表 5.2.9-2

序号	荷载	基本组合					
		运行期				检修期	
		1	2	3	4	5	6
8	温度作用(气温周期变化)	√	√	√	√	√	√
	温度作用(日照)	√	—	√	—	√	—
	温度作用(气温骤降)	—	√	—	√	—	√

注:1 当计算结构的裂缝宽度时,温度作用应予以折减,折减系数可取 0.5~0.6。
2 "√"表示参与荷载组合,"—"表示不参与荷载组合。

5.3 结 构 设 计

5.3.1 垂直升船机的承重结构可采用筒体、剪力墙或两者组合的形式,单体间纵向可采用梁系连接,横向可在顶部采用板梁或梁系连接。

5.3.2 垂直升船机承重结构在正常运行条件下,按弹性方法计算的结构顶部位移与总高度之比不应大于 1/1500。

5.3.3 钢筋混凝土承重结构的裂缝控制验算应符合现行行业标准《水工混凝土结构设计规范》SL 191 的有关规定。

5.3.4 钢筋混凝土承重结构的配筋设计应符合现行行业标准《水工混凝土结构设计规范》SL 191 和《高层建筑混凝土结构技术规程》JGJ 3 的有关规定。

5.3.5 承重结构中的钢结构设计应符合现行有关国家《钢结构设计规范》GB 50017 的有关规定。

5.3.6 参与挡水的升船机上闸首,其抗滑稳定验算应符合现行行业标准《混凝土重力坝设计规范》SL 319 的有关规定。

5.3.7 承重结构的抗滑、抗倾覆稳定性应符合现行行业标准《船闸水工建筑物设计规范》JTJ 307 的有关规定,抗倾覆稳定性还应符合国家现行标准《高耸结构设计规范》GB 50135 和《高层建筑混凝土结构技术规程》JGJ 3 的有关规定。

5.4 抗 震 设 计

5.4.1 升船机抗震设计应符合现行行业标准《水工建筑物抗震设计规范》SL 203 的有关规定。抗震设计烈度为 9 度的升船机建筑物，其抗震设计应做专题论证。

5.4.2 质量或刚度分布不均匀、不对称的结构，应计算地震作用的扭转效应。

5.4.3 对于齿轮齿条爬升式升船机，应研究承船厢和承重结构的动力相互作用，以及承船厢水体的动力流固耦合影响。

5.4.4 平衡重与承重结构应根据其连接构件的刚度计算平衡重与承重结构的动力相互作用。简化分析时，附加于承重结构的平衡重质量不宜小于其总质量的 30％。

6 金属结构和机械设备设计

6.1 一般规定

6.1.1 金属结构和机械设备设计应包括为满足升船机正常运行、安全保护和检修维护需要所设置的所有金属结构与机械设备。按照布置位置划分，垂直升船机应包括上下游导航靠船设备、上闸首设备、承船厢结构与设备、主提升机设备或承船厢驱动系统设备、平衡重系统设备、承船厢室设备和下闸首设备。斜面升船机应包括牵引绞车、承船车、斜坡道设备。

6.1.2 金属结构、机械设备的设计应满足升船机工程总体布置条件和运行的要求，并应与土建结构布置相适应。

6.1.3 升船机金属结构和机械设备设计应符合国家现行标准《起重机设计规范》GB/T 3811、《水利水电工程钢闸门设计规范》SL 74 和《水利水电工程启闭机设计规范》SL 41 的有关规定。

6.1.4 金属结构和机械设备的设计应包括正常工况、非正常工况和特殊工况。

6.1.5 升船机应按一般级和特殊级确定安全等级。一般级适用于以通航货船的中小型升船机，升船机结构与设备应按正常工况和非正常工况设计；特殊级适用于以通航客轮为主或客货轮混运的升船机，升船机结构与设备应按正常工况、非正常工况以及部分或全部特殊工况设计。

6.1.6 对不同的金属结构与机械设备，应根据其实际运行条件和荷载条件分别进行静强度、刚度、疲劳强度计算，以及稳定性分析。机械设备静强度与稳定性计算宜按照所有工况的最大荷载作为计算荷载，刚度宜按正常工况最大荷载计算，疲劳强度宜按照额定荷载或正常工况荷载谱计算。金属结构静强度、刚度与稳定性计算应按正常运行工况的最大荷载作为设计荷载,非正常工况或特殊工况荷载作为校核荷载。

6.1.7 升船机金属结构设计使用限应采用70a,机械设备应采用35a,且应按每年工作不少于330d,每天工作22h计算升船机的过船次数,并应考虑相关结构和设备的荷载循环次数。

6.1.8 对于地处基本地震烈度6度以上地区的升船机,金属结构、机械设备的设计应研究地震的影响。

6.1.9 升船机金属结构和机械设备对承重结构变形的适应能力应不小于变形计算结果的1.5倍,且相对变形偏差不应小于10mm的要求。

6.1.10 全平衡式垂直升船机承船厢正常运行速度可采用0.15m/s～0.25m/s;下水式垂直升船机承船厢,水中正常运行速度不宜大于0.03m/s,水上正常运行速度可采用0.10m/s～0.25m/s;钢丝绳卷扬牵引式斜面升船机承船车正常运行速度可采用0.3m/s～0.5m/s;承船厢正常启、停加速度绝对值不宜大于0.01m/s^2,承船车正常启、停加速度绝对值不宜大于0.02m/s^2。

6.2 闸首金属结构和机械设备

6.2.1 闸首闸门宜采用双吊点启闭,启闭机两吊点之间应采取同步措施。

6.2.2 下沉式平面闸门在工作位置宜设置机械式锁定装置;由固定卷扬式启闭机操作的提升式平面闸门,应在闸门的全开位置设置机械式锁定装置。

6.2.3 闸首工作闸门高度应符合下列规定:

　　1 提升式平面闸门的总高度应取航槽最大通航水深与门顶富裕高度之和。门顶富裕高度不应小于0.5m。

　　2 下沉式平面闸门的卧倒小门孔口高度应取承船厢设计水深、可适应的水位变幅、槛上富裕水深与门顶富裕高度之和。可适应的水位变幅应根据通航水位变幅和变率情况确定,且不应小于

0.5m;槛上富裕水深宜取 0.1m～0.2m;门顶富裕高度不应小于 0.5m。下沉式平面闸门的总高度应取最大挡水水头、底止水结构高度、门底富裕高度与门顶富裕高度之和。其中,底止水高度应根据止水形式、结构尺寸确定;门底富裕高度可取 0.1m～0.2m;门顶应与卧倒小门门顶平齐。

   3 带卧倒小门提升式平面闸门与叠梁门组合形式的卧倒小门孔口高度应取承船厢设计水深、一节工作叠梁高度、槛上水深富裕深度与门顶富裕高度之和。其中,槛上水深富裕深度宜取 0.1m～0.2m;门顶富裕高度不应小于 0.5m。提升式平面大门高度应取卧倒小门孔口高度、一节工作叠梁高度、间隙密封对接高度与门底富裕高度之和。间隙密封对接高度应根据设备形式、结构尺寸等条件确定;在满足卧倒小门液压启闭机的设备布置条件时,门底富裕高度可取 0.2m～0.3m。

6.2.4 当上闸首工作闸门采用提升式平面闸门与叠梁门组合形式时,单节叠梁门的高度可按下式计算:

$$h = \frac{H_{\max} - H_{\min}}{n+1} \qquad (6.2.4)$$

式中:h ——单节叠梁门高度(m);
   　$H_{\max}$ ——上游最高通航水位(m);
   　$H_{\min}$ ——上游最低通航水位(m);
   　n ——工作叠梁门数量。

6.2.5 当闸首与承船厢之间的间隙密封机构设在承船厢上时,应在闸首或工作闸门上设止水座板。

6.2.6 当闸首工作闸门采用提升式平面闸门时,止水宜布置在背水侧;当闸首工作闸门采用下沉式平面闸门或采用提升式平面闸门与叠梁门组合形式时,止水宜布置在迎水侧。下沉式工作闸门宜设置两道止水,止水结构形式应满足闸门结构变形及闸门带压调整的要求。

6.2.7 带卧倒小门的平面工作大门,其U形门体结构的主梁刚度应满足止水可靠及与承船厢对接的要求。

6.2.8 设在平面大门上的卧倒小门宜采用双驱动点液压启闭机启闭,两驱动点之间应采取有效的同步措施。在卧倒小门的全关位置宜设置锁定装置。

6.2.9 上闸首检修闸门与工作闸门之间设置的泄水系统,应进行水锤、流速、强度等验算。泄水系统应设置工作阀门、检修阀门、补排气阀门以及补偿装置等设备。当泄水系统出口流速超过钢管或土建结构的允许流速值时,应设置消能设施。

6.2.10 当对接密封装置和间隙充泄水系统设置在闸首工作大门上时,其设计原则应分别符合本规范第 6.7.6 条和第 6.7.10 条的规定。

6.3 承船厢与承船车结构

6.3.1 承船厢的结构尺寸除应满足有效水域平面尺度和水深的要求外,还应满足设备布置、安装、运行和维护检修的需要。

6.3.2 承船厢的设计应包括正常和非正常工况的荷载,特殊工况可根据工程具体条件选择。承船厢的具体设计工况和荷载组合应符合本规范附录 C 的规定。

6.3.3 承船厢结构宜采用承载结构与盛水结构合为一体的自承载式,根据工程情况,也可采用承载结构与盛水结构相互独立的托架式。自承载式承船厢主体结构宜采用主纵梁和若干主横梁为主要受力构件的焊接钢结构。

6.3.4 全平衡式升船机承船厢的主纵梁宜采用箱形结构,内腹板应兼作盛水结构的挡水板,外腹板可兼作钢丝绳吊耳板。承船厢吊点布置应满足主提升机、平衡重的布置要求。主纵梁上翼缘可兼作走道板,其宽度不宜小于 800mm。下水式升船机承船厢的主纵梁宜采用实腹式单腹板结构。

6.3.5 承船厢结构材料的许用应力应按现行行业标准《水利水电工程钢闸门设计规范》SL 74 规定的材料许用应力乘以调整系数

确定。大中型升船机承船厢许用应力调整系数应取 0.85,小型升船机承船厢许用应力调整系数应取 0.90。

6.3.6 承船厢整体结构的强度与刚度宜进行有限元计算复核,对大型升船机还应进行动态分析。正常工况下的承船厢整体纵向挠度不宜大于承船厢长度的 1/1000,横向挠度不宜大于承船厢宽度的 1/750。

6.3.7 承船厢上应设交通通道、设备维护通道和人员疏散通道。

6.3.8 承船厢主纵梁内侧应设护舷,护舷宜设置在设计水面上下,护舷高度不宜大于 200mm。主纵梁顶部走道外侧应设护栏,护栏高度不应低于 1.1m;内侧有效水域范围内应设系船柱,系船柱的间距不宜大于 20m,且每侧系船柱不宜少于 4 组。船舶系缆力不应小于表 6.3.8 所列数值。

表 6.3.8 船舶系缆力(kN)

项 目	船舶吨位(t)					
	3000	2000	1000	500	300	100
纵向水平分力	46	40	32	25	18	8
横向水平分力	23	20	16	13	9	4

6.3.9 下水式垂直升船机承船厢的底板应设计成有斜度的左右对称结构,应在承船厢非盛水结构上开设进、排气孔。

6.3.10 承船车的纵、横梁宜采用实腹结构。承船车支腿宜布置在纵梁下方,其纵向间距不宜小于承船车全长的 60%。

6.3.11 承船车结构上应开设进、排气孔。当承船车采用干运时,应在底铺板上沿纵向布置枕垫。

6.3.12 承船厢与承船车的干舷高可取 600mm～1000mm。

6.4 主提升机和牵引绞车

6.4.1 钢丝绳卷扬式垂直升船机的主提升机和钢丝绳卷扬式斜面升船机的牵引绞车应包括驱动卷筒组、减速器、电动机、安全制动系统、机械同步系统、滑轮组以及润滑系统等设备。斜面升船机牵引绞车还应包括钢丝绳组件。钢丝绳卷扬式全平衡垂直升船机主提升机可根据需要设置可控卷筒组和相应的安全制动器。

6.4.2 设计工况、荷载组合与额定提升力计算应符合下列规定：

1 主提升机和牵引绞车的设计工况和荷载组合应符合本规范附录 D 的规定。

2 全平衡垂直升船机主提升机额定提升力应包括本规范表 D.0.2-1 中正常升降运行工况的第 5 项～第 11 项。

3 承船厢下水式垂直升船机在空气中的提升力 F_1 应包括本规范表 D.0.2-2 中正常升降运行工况的承船厢在空气中运行第 5 项～第 11 项，在水中的提升力 F_2 应包括本规范表 D.0.2-2 中正常升降运行工况的承船厢在水中运行第 5 项～第 12 项，主提升机额定提升力应采用承船厢在空气中运行和入水运行两种工况的等效荷载 F，并应按下式计算：

$$F = \left(\frac{F_2^p + 2in F_1^p}{1+2in}\right)^{\frac{1}{p}} \qquad (6.4.2)$$

式中：p ——主提升机减速器低速级驱动齿轮材料弯曲疲劳特性的参数，取值见现行国家标准《渐开线圆柱齿轮承载能力计算方法》GB/T 3480 的相关规定。对于渗碳淬火的渗碳钢，$p=8.74$；

n ——主提升机卷筒对应于承船厢在空气中提升高度的转动圈数；

i ——减速器低速级传动比。当未知时可取 $i=4$～5。

4 牵引绞车的额定提升力计算应包括本规范表 D.0.2-4 中正常升降运行工况第 3 项～第 10 项，并乘以 1.2 倍的荷载系数。

6.4.3 主提升机和牵引绞车宜采用交流变频电动机拖动。主提升机电动机功率应按一台电动机失效时，其余电动机在额定提升力和机构惯性力作用下继续完成本次承船厢的运行而不过载的原则计算;牵引绞车电动机功率应按在额定提升力和机构惯性力作用下电动机不过载的原则计算。主提升机和牵引绞车电动机功率计算应符合本规范附录E的规定。

6.4.4 主提升机高速轴零部件及减速器高速级齿轮副宜按传递1.2倍电动机额定功率所对应的荷载进行疲劳强度验算;牵引绞车高速轴零件宜按1.4倍电动机额定功率所对应的荷载进行疲劳强度验算;减速器其他轴系零部件、开式齿轮以及主提升机与牵引绞车低速轴传动部件宜按1.2倍主提升机额定提升力或1.2倍牵引绞车额定牵引力换算到相应零部件上的荷载进行疲劳强度校核。主提升机和牵引绞车传动部件静强度可按电动机最大力矩换算到相应零部件上的荷载进行校核。

6.4.5 主提升机和牵引绞车所有齿轮的弯曲疲劳强度和弯曲静强度安全系数不应小于1.6;闭式齿轮的接触疲劳强度和接触静强度安全系数不应小于1.25;开式齿轮的接触疲劳强度和接触静强度安全系数不应小于1.1。齿轮的抗胶合安全系数不应小于1.6。齿轮传动轴的疲劳安全系数不应小于2.0。

6.4.6 主提升机和牵引绞车宜采用闭式传动。其减速器宜采用硬齿面齿轮,其精度不应低于6级,开式齿轮的精度不应低于8级。

6.4.7 主提升机和牵引绞车的多台卷扬机构之间应设置机械同步系统。同步轴疲劳强度计算荷载可按传递单台电动机1/2功率确定,疲劳强度安全系数不应小于2.0。静强度计算荷载可按传递1/4电动机总功率确定。在静强度计算荷载作用下,同步轴的扭转角不宜大于0.2°/m。机械同步轴系统转速不宜大于250r/min。主提升机机械同步系统的设备配置应能适应塔柱结构的变形。

6.4.8 同步轴系统宜设置扭矩传感器,并应设置检修通道。

6.4.9 钢丝绳在卷筒上应单层缠绕。主提升机提升绳和转矩平衡绳应交错布置在卷筒组上,且共用绳槽工作圈。主提升机提升绳的安全圈不得少于2.5圈,转矩平衡重和可控平衡重钢丝绳安全圈不得少于2圈;牵引绞车的钢丝绳安全圈不得少于2.5圈。

6.4.10 主提升机和牵引绞车卷筒组的荷载应包含各种工况下钢丝绳拉力、制动器荷载、轴支承反力、驱动扭矩和设备自重等。钢丝绳拉力应符合下列规定:

1 正常运行工况下主提升机驱动卷筒组单根提升绳的最大拉力应按下式计算:

$$T_1 = T_0 + 1.3F_h/n_1 \quad (6.4.10\text{-}1)$$

2 非正常工况和特殊工况下单根提升绳的最大拉力应按下式计算:

$$T_2 = T_0 + 1.1(W_1 - W_0)/n_2 \quad (6.4.10\text{-}2)$$

式中:T_1——正常运行工况下主提升机驱动卷筒组单根提升绳的最大拉力(kN);

T_2——非正常工况和特殊工况下单根提升绳的最大拉力(kN);

T_0——不考虑提升力时单根提升绳的张力(kN);

F_h——主提升机额定提升力(kN);

W_1——非正常工况和特殊工况下承船厢底铺板受到的水体压力和船舶接触压力(kN);

W_0——对应于设计水深的承船厢水体重量(kN);

n_1——提升绳数量;

n_2——提升绳和可控平衡绳数量之和。

3 正常工况和非正常工况下牵引绞车单根钢丝绳的最大拉力应按下式计算:

$$T_3 = 1.1T/n_3 \quad (6.4.10\text{-}3)$$

式中:T_3——牵引绞车单根钢丝绳的最大拉力(kN);

T——牵引绞车钢丝绳的总张力(kN);

n_3——牵引绞车钢丝绳数量之和。

6.4.11 卷筒应进行静强度计算和疲劳强度计算。静强度计算应按许用应力法,正常工况下筒体结构许用应力不应大于40%材料屈服极限,非正常工况或特殊工况下筒体结构许用应力不应大于70%材料屈服极限。筒体受压稳定性安全系数不应小于2.5。卷筒结构疲劳计算应符合现行国家标准《起重机设计规范》GB/T 3811的有关规定。卷筒轴的疲劳安全系数不应小于2,轴挠度不应大于其支承长度的1/3500。

6.4.12 固定钢丝绳压板的螺栓或螺柱的安全系数不应小于2.5。钢丝绳与绳槽和压板槽的摩擦系数取值不宜大于0.08。

6.4.13 主提升机和牵引绞车应设置工作制动器和安全制动器。制动器应为常闭式,宜采用液压盘式制动器。工作制动器宜采用调压上闸,其制动荷载应按电动机额定输出力矩计算。不下水式钢丝绳卷扬垂直升船机驱动卷筒上的安全制动器制动荷载应按转矩平衡重重力计算,可控卷筒上的安全制动器的制动荷载应按可控平衡重重力计算;下水式钢丝绳卷扬垂直升船机安全制动器的制动荷载应按承船厢下水过程和承船厢水满厢两种工况中的最大不平衡荷载计算。牵引绞车安全制动器的制动荷载应按非正常工况和特殊工况下的钢丝绳牵引力计算。工作制动器、安全制动器的制动安全系数均不应小于1.5。

6.4.14 工作制动器和安全制动器宜采用液压泵站集中控制。工作制动器和安全制动器应设置上闸和松闸到位检测装置。

6.4.15 垂直升船机主提升机安全制动系统产生的承船厢制动加速度取值应同时满足制动距离小于冲程条件以及对应冲击力下的设备强度安全条件,全平衡主提升机电动机处于发电状态时加速度绝对值不宜大于$0.08m/s^2$,处于电动状态时加速度绝对值不宜大于$0.30m/s^2$;下水式升船机主提升机安全制动系统制动时在主提升机电动机处于发电状态时加速度绝对值不宜大于$0.08m/s^2$。牵引绞车安全制动系统制动加速度绝对值不宜大于$0.02m/s^2$,同时应对牵引绞车对应冲击力下的设备强度和船舶系缆力进行验算。

6.4.16 对于安全等级为特殊级的不下水式钢丝绳卷扬垂直升船机,应使安全制动器的有效制动力以及沿程锁定装置和事故锁定装置的锁定力之和大于船厢设计水重。

6.4.17 主提升机和牵引绞车滑轮结构应进行静强度和疲劳强度计算,按非正常工况和特殊工况荷载校核静强度和稳定性。正常工况滑轮结构计算应力不应大于40%材料屈服极限,非正常工况和特殊工况计算应力不应大于70%材料屈服极限。滑轮结构疲劳强度应符合现行国家标准《起重机设计规范》GB/T 3811的有关规定,滑轮轴的疲劳安全系数不应小于2.0。

6.5 驱动系统和安全机构

6.5.1 齿轮齿条爬升式垂直升船机的驱动系统应包括驱动机构、机械同步轴系统和润滑系统。驱动机构应包括驱动齿轮托架机构、万向联轴节、减速器和锥齿轮箱、安全制动系统、高速轴联轴器和驱动电动机。

6.5.2 驱动系统的设计工况和荷载组合应符合本规范表D.0.2-3的规定。

6.5.3 驱动系统的额定驱动力应包括本规范表D.0.2-3正常工况的第2项~第8项。驱动系统应设置机械过载保护装置,机械过载保护装置动作荷载可取额定驱动力的1.4倍~1.5倍。

6.5.4 驱动系统的电动机宜采用交流变频电动机。电动机功率宜按一台电动机失效、其余电动机可在不过载的条件下继续完成承船厢的本次运行的原则确定。电动机功率的计算应符合本规范附录E的规定。

6.5.5 驱动系统应按驱动齿轮极限荷载计算静强度。驱动齿轮托架及齿条应按额定驱动力计算疲劳强度。驱动系统高速轴零部件及减速器高速级齿轮副应按传递1.2倍电动机额定功率所对应的荷载计算疲劳强度。减速器其余传动部件及低速轴万向联轴器应按1.2倍额定驱动力和安全机构摩阻力换算到相应零部件上的荷载计算疲劳强度。

6.5.6 驱动系统的驱动齿轮和齿条、锥齿轮及减速器圆柱齿轮的承载能力计算应符合本规范第6.4.5条的规定。驱动齿轮与齿条的计算应采用与本规范第6.4.5条中开式齿轮相同的安全系数。

6.5.7 减速器齿轮的精度不应低于6级,驱动齿轮和齿条的精度不应低于9级。驱动齿轮和齿条的材料质量宜满足现行国家标准《直齿轮和斜齿轮承载能力计算 第5部分:材料的强度和质量》GB/T 3480.5中对应于ME的要求。

6.5.8 驱动机构驱动齿轮托架应能适应承船厢与承重结构的水平相对变位和齿条的制造、安装误差。驱动齿轮托架机构还应具有传递、限制和检测驱动齿轮荷载的性能。驱动齿轮托架机构的结构及零部件疲劳强度应按额定驱动力计算,静强度应按驱动齿轮极限荷载计算。

6.5.9 驱动系统应设置工作制动器和安全制动器。制动器的结构形式与安全系数应符合本规范第6.4.13条的规定。工作制动器制动荷载应为电动机的额定输出扭矩,安全制动器制动荷载应为驱动齿轮极限荷载。

6.5.10 驱动系统的驱动机构之间应设置机械同步轴系统。同步轴系统的设计应符合本规范第6.4.7条和第6.4.8条的规定。

6.5.11 齿条及其埋件的布置与结构应满足齿条的支承、传力、制造和安装的要求。齿条安装后两节齿条之间相邻齿的节距偏差应符合齿条齿间节距公差要求。

6.5.12 与安全机构相连的驱动系统减速器输出轴与减速器低速轴转速应相差整数倍。在驱动机构和安全机构之间宜设置扭矩检测装置。安全机构应能适应承船厢和承重结构之间的相对变位。

6.5.13 安全机构应按承船厢水漏空、水满厢、对接沉船、空厢检修等工况进行设计。根据工程具体情况,对Ⅱ级及以上的安全级为特殊级升船机宜按承船厢室及平衡重井进水的特殊工况进行强度和稳定性校核。

6.5.14 安全机构的受力撑杆应按最大荷载进行静强度和稳定性校核,静强度安全系数不应小于2.5,稳定性安全系数不应小于3.0。

6.5.15 安全机构旋转螺杆的螺纹圈数不应少于4圈。旋转螺杆与螺母柱螺牙的计算接触圈数不宜大于2圈。

6.5.16 在锁定状态下安全机构螺杆与螺母柱的螺纹副必须可靠自锁。

6.5.17 4套安全机构的荷载不均匀系数宜取1.05～1.10,螺母柱片间荷载不均系数不宜小于1.05。

6.5.18 安全机构及其螺母柱应进行静强度校核。在本规范第6.5.13条规定的工况下,旋转螺杆与螺母柱螺牙根部的最大综合应力应小于材料的屈服极限;最大弯曲正应力应小于90%屈服极限;最大剪应力应小于55%屈服极限。安全机构其他相关构件的静强度安全系数不应小于1.3。

6.5.19 安全机构螺杆和螺母柱的螺纹副设计间隙值应根据承重结构和承船厢结构变形以及相关设备的制造、安装误差、传动系统间隙确定。

6.5.20 螺母柱及其埋件的布置与结构应满足支承、传力、制造和安装的要求。

6.5.21 齿条和螺母柱总高度应大于升船机最大提升高度与上下冲程之和。齿条和螺母柱的分节长度应根据承载需要以及设备制造安装确定。

6.6 平衡重系统

6.6.1 升船机平衡重系统应包括平衡重组、钢丝绳组件、钢丝绳长度调节组件、平衡链及其导向装置、平衡重组锁定装置、钢丝绳润滑装置、平衡重轨道及埋件。

6.6.2 平衡重组应设置安全框架结构,在正常情况下安全框架不应承受平衡重的重量。框架上应设置纵、横两个方向的导向装置。

6.6.3 全平衡垂直升船机应在平衡重组内设置重量可调的调整平衡重块，调整平衡重的重量不宜小于承船厢总重的5%。调整平衡重块的材料宜采用钢板或铸钢。

6.6.4 平衡链宜采用钢丝绳串钢块式。全部平衡链的单位长度总重量应与承船厢侧全部悬吊钢丝绳的单位长度总重量相等。悬吊钢丝绳宜采用预拉伸抗旋转交互捻钢丝绳，且同一条平衡链的两根钢丝绳应旋向相反。

6.6.5 当全平衡垂直升船机的提升高度大于45m时，宜设置用于平衡钢丝绳重量的平衡链，且在承船厢室底部宜设置平衡链导向装置。

6.6.6 每根钢丝绳宜单独悬吊一块平衡重块。

6.6.7 安全框架结构的承载能力计算应包括正常工况、钢丝绳断绳事故工况和安装检修工况，其静强度计算安全系数不宜小于1.5。

6.6.8 平衡重块可采用高容重混凝土或铸钢，在布置条件允许的情况下，宜选用高容重混凝土。高容重混凝土的容重不宜大于$3.5t/m^3$，强度等级不宜低于C30。平衡重块的外形尺寸及分节重量应根据设备制造及升船机工程的运输安装条件确定。高容重混凝土平衡重块的外表面应进行防水、防潮涂装处理。

6.6.9 每根钢丝绳应设一套长度调节装置，调节行程不宜小于±250mm。调节装置应按正常工况进行强度计算，安全系数不应小于4.0；应按断绳事故工况进行强度校核，安全系数不宜小于1.5。

6.6.10 钢丝绳组件的可旋转部位应设置防旋装置，相邻钢丝绳宜为左、右旋向间隔配置。

6.6.11 平衡重组应设置安装检修平台，平台上宜设置平衡重组锁定装置。

6.7 承船厢设备

6.7.1 承船厢设备应包括承船厢工作闸门及其启闭机、对接锁定装置、顶紧装置、间隙密封机构、防撞装置、导向装置、钢丝绳张力均衡装置、承船厢水深调节与间隙充泄水系统、液压系统、检修锁定装置、缓冲装置。

6.7.2 垂直升船机与承重结构相关联的承船厢设备应能适应各种工况下承船厢与承重结构之间的相对变位及设备轨道的制造安装误差。

6.7.3 承船厢工作闸门及启闭机应符合下列规定：

1 工作闸门的选型应兼顾航道漂浮物对闸门运行及止水的影响，门型可选用卧倒式平面闸门、下沉式平面闸门或下沉式弧形门。当航道漂浮物较多时，宜采用下沉式平面闸门或下沉式弧形门；当航道漂浮物较少或设有清污设施时，可采用卧倒式平面闸门。

2 工作闸门的孔口净宽应与承船厢有效水域宽度相一致，孔口底高不得高于承船厢底铺板，闸门高度宜与承船厢干舷高相等。

3 工作闸门应按静水启闭进行设计，宜采用双吊点液压启闭机启闭。除卧倒式平面闸门外，其他门型应在门的全关闭位置设置机械锁定装置。工作闸门启闭力宜按闸门前后±100mm～±200mm水头计算。

6.7.4 对接锁定装置应符合下列规定：

1 垂直升船机应设置承船厢对接锁定装置。钢丝绳卷扬式垂直升船机的对接锁定装置可同时兼作承船厢沿程锁定。对接锁定装置不得承受对接期间的承船厢纵向荷载。

2 对接锁定荷载应包括承船厢对接期间因水位变化造成的承船厢内水体重量的变化量，以及船只进出承船厢过程中船形波产生的垂直附加荷载。对接锁定装置的锁定能力应按不小于锁定荷载的原则确定。齿轮齿条爬升式垂直升船机的对接锁定装置应具有超载退让功能。

3 对接锁定装置的油缸及其控制阀组应采取可靠的保压措施。

6.7.5 顶紧装置应符合下列规定：

1 垂直升船机应设置承船厢顶紧装置。承船厢顶紧装置的纵向荷载应包括纵向水压力、间隙密封机构顶推力、船舶撞击力、船舶系缆力、纵向风载和地震作用荷载。

2 应采取有效的结构措施降低对接期间的承船厢竖向附加荷载对顶紧装置的不利影响。

3 顶紧装置应采用机械式自锁机构，不得采用液压油缸直接顶紧方案。顶紧机构及其液压控制回路必须设置自锁失效安全保护装置。

6.7.6 间隙密封机构应符合下列规定：

1 设在承船厢上的间隙密封机构应具有适应对接期间闸首工作闸门变形、承船厢与之对接的闸首或闸首工作闸门相对变位的能力。

2 U形密封框应由多套同步运行的液压油缸驱动，且应在油缸与密封框之间加设保压机械弹簧。密封框端面宜设两道结构形式不同的止水橡皮。

3 密封框结构设计应按现行行业标准《水利水电工程钢闸门设计规范》SL 74 的有关规定执行，油缸设计应按现行行业标准《水利水电工程启闭机设计规范》SL 41 的有关规定执行。

6.7.7 防撞装置应符合下列规定：

1 应在承船厢两端闸门的内侧设置防撞装置。上下游防撞装置防撞构件之间的净间距应等于承船厢水域有效长度。

2 防撞装置应具有缓冲船舶撞击的能力，船舶撞击能量应按设计最大船舶以承船厢内允许的航速行驶时具有的动能设计，船舶动能应按下式计算：

$$E = \frac{mv^2}{2} \quad (6.7.7\text{-}1)$$

式中：E——船舶动能(N·m)；

m——船舶及其附连水体总质量(kg)；

v——在承船厢中的允许航速(m/s)。

3 防撞构件布置高度应分析船舶倾角的影响,且宜位于承船厢设计水位线以上 0.5m 处。

4 防撞装置宜采用带缓冲油缸的钢丝绳防撞形式。船舶缓冲距离应按钢丝绳支承跨度、油缸缓冲行程、钢丝绳弹性变形等进行核算,且钢丝绳不得碰触承船厢工作闸门。钢丝绳、油缸缓冲行程应符合下列规定:

　　1)防撞钢丝绳安全系数不应小于 4.0,且宜选用预拉伸镀锌钢丝绳;

　　2)油缸缓冲行程应按下式计算:

$$S = \frac{2kmv^2}{p\pi(d^2 - d_0^2)} \qquad (6.7.7\text{-}2)$$

式中:S——油缸缓冲行程(m);

　　　m——船舶及其附连水体总质量(kg);

　　　p——压力阀设定油压(N/m^2);

　　　d——油缸内径(m);

　　　d_0——活塞杆直径(m);

　　　k——安全系数,取 1.8~2.0。

6.7.8 导向装置应符合下列规定:

1 承船厢上应对称设置纵、横向导向装置。导向装置的布置位置应结合导轨布置方案确定,横向导向装置宜设在承船厢两侧的外端,纵向导向装置宜靠近承船厢横向中心线布置。

2 导向装置宜采用带预紧弹簧的弹性导轮。每个方向导轮的弹簧总预紧荷载应按不小于承船厢在非工作风压作用下的风荷载确定。风荷载应按下式计算:

$$P_w = CK_h qA \qquad (6.7.8)$$

式中:P_w——作用在导向装置上的风荷载(N);

　　　C——风力系数,应按现行行业标准《水利水电工程启闭机设计规范》SL 41 的有关要求执行;

K_h——风压高度变化系数,本项计算中可取 $K_h=1.0$;

q ——非工作风压(N/m^2),本项计算中可取 $q=800N/m^2$;

A——承船厢及厢内船舶垂直于风向的总迎风面积(m^2)。

6.7.9 钢丝绳张力均衡装置应符合下列规定:

1 钢丝绳卷扬式升船机应设置提升钢丝绳和可控平衡重钢丝绳张力均衡装置,钢丝绳张力均衡装置宜采用液压油缸形式,且应具备在静止状况下调平承船厢的功能。

2 液压油缸的有效行程应根据提升钢丝绳最大悬吊长度、钢丝绳弹性模量、液压系统控制方式等因素确定,且不宜小于500mm。

3 液压油缸宜设置活塞杆机械锁紧装置,机械锁紧装置及油缸其他承受拉力构件的强度安全系数不应小于3.0。油缸上应设行程检测装置和压力检测装置,油缸与承船厢之间应设钢丝绳张力检测装置。

6.7.10 水深调节与间隙充泄水系统应符合下列规定:

1 设置在承船厢上的水深调节与间隙充泄水系统,应根据升船机工程的具体运行条件,兼顾升船机的运量要求、船舶允许系缆力和水泵流量等因素,确定调节承船厢水深的时间,每次最长调节时间不宜大于5min;间隙充泄水系统抽、排间隙水的时间不宜大于2min。

2 除电动机-水泵组和管道系统外,承船厢水深调节与间隙充泄水系统内还应配置工作阀门、检修阀门、补排气阀门和补偿装置。设备配置应保证系统可双向运行。

6.7.11 承船厢上的液压机构宜由液压系统集中操作,液压泵站应布置在机房或机舱内,液压泵站的数量应根据泵站至各执行机构的距离、液压控制回路的复杂程度确定。

7 电气系统设计

7.1 一般规定

7.1.1 升船机电气系统设计应包括供配电与接地、主电气传动系统、运行监控、非电量信号检测、通航信号与语音广播、图像监视、通信等电气设备。

7.1.2 升船机电气设计应以水工建筑、金属结构和机械专业设计为依据，在航运调度和枢纽管理体制和职责范围划分基本明确的条件下进行。

7.1.3 升船机中固定式卷扬启闭机和移动式启闭机的电气传动控制系统应按现行行业标准《水利水电工程启闭机设计规范》SL 41 的有关规定进行设计。

7.2 供配电与接地

7.2.1 升船机电力负荷分级应符合下列规定：

    1 300t 级及以上升船机或每天运行时间不少于 16h 的升船机的工作闸门启闭机、承船厢驱动机构、承船厢对接锁定机构、承船厢充泄水装置、计算机监控系统、通航信号与语音广播系统、通信系统、消防设备，以及电梯和生产照明等主要用电负荷应为一级负荷。

    2 升船机上、下闸首事故检修闸门启闭机的用电负荷应为一级负荷。

    3 300t 级以下干运升船机或每天运行时间大于 8h 但小于 16h 的升船机的工作闸门启闭机、承船厢驱动机构、承船厢对接锁定机构、承船厢充泄水机构、计算机监控系统、通航信号与语音广播系统、通信系统、消防设备，以及电梯和生产照明等主要用电负荷应为二级负荷。

  4 其他用电负荷应为三级负荷。

7.2.2 升船机工程的供电电源应符合下列规定：

  1 一级负荷应由两个独立电源供电。当一个电源发生故障时，另一个电源应能正常供电。

  2 二级负荷宜由两个独立电源供电。当采用一个电源供电时，应由一路高压专用线路供电。

  3 采用两回线路供电时，任一回线路均应能担负升船机的一级和二级用电负荷。

7.2.3 升船机最大负荷应按下列原则统计：

  1 用电负荷的计算范围应包括运行区、生产管理区和生活辅助区等。

  2 在负荷计算时，应分别计算运行动力用电负荷和其他用电负荷，并计算升船机的总计算负荷。

  3 动力用电负荷应按运行流程中最大一组电动机负荷计算。对多级升船机运行动力用电负荷的计算，应兼顾不同级别升船机同时运行的工况。

  4 动力用电负荷以外的其他用电负荷宜采用需要系数法进行计算。

7.2.4 配电系统的电压等级应根据当地配电网的系统电压和升船机用电负荷的实际情况确定，但不宜超过两级电压供电。用电电压等级宜采用0.4kV和10kV两种电压。

7.2.5 移动式设备的供电方式应符合下列规定：

  1 当采用10kV分支线向移动式设备供电时，应采用专用拖曳式软电缆。

  2 当采用0.4kV向移动式设备供电时，应比较专用拖曳式软电缆和安全滑线两种供电方式，择优选用。

7.2.6 多电动机变频装置配电宜采用交叉接线方式。

7.2.7 升船机供配电系统可根据需要设置无功补偿和谐波吸收

装置,且集中布置在变电所内。

7.2.8 升船机机电设备的接地应符合下列规定:

    1 水利水电枢纽内升船机的接地应与水电站共用接地网。

    2 对于非水利水电枢纽内的升船机,接地网的接地电阻值应小于1Ω。

    3 集中控制室的接地设计应符合现行国家标准《电子信息系统机房设计规范》GB 50174 的有关规定。

7.2.9 升船机建筑物防雷设计应符合现行国家标准《建筑物防雷设计规范》GB 50057 中第二类防雷建筑物的有关规定。

7.3 主电气传动系统

7.3.1 主电气传动系统宜采用交流变频调速方案,其变频装置的功率部分宜采用电压型交-直-交变频结构。

7.3.2 电动机主回路可采用变频器与电动机"一对一"或多组"逆变器-电动机"并联挂接到"共用直流母线"的接线方式,电动机主回路接线方式的确定宜通过技术经济比较择优选用。

7.3.3 主电气传动系统中的变频装置宜采用带有能量回馈功能的整流/回馈单元与逆变单元的组合装置。对于供电系统容量相对较小或制动运行时间短的应用场合,可采用带电阻能耗制动的变频装置。

7.3.4 当承船厢由多电动机驱动运行,或对调速、定位精度要求高的升船机,其主电气传动系统宜采用带速度反馈的磁场定向矢量控制或直接转矩控制。

7.3.5 主电气传动系统宜采用由位置、速度及电流反馈三闭环全数字控制的调速系统。由机械同步轴连接的多电动机传动系统应采用具有抑制轴扭振功能的出力均衡控制方案。

7.3.6 主电气传动控制系统应检测并采集电动机和变频装置的电压、电流和频率,制动器及润滑系统的工作状态,同步轴扭矩,承船厢的水深、运行速度、行程和位置,各机构的位移、位置和荷载,以及上、下游航道水位、通航口门处的水深等信息。

7.3.7 主电气传动控制系统的硬件配置宜采用"传动协调控制站＋主电气传动系统"的两级方案,两级之间宜通过工业以太网或现场总线进行互联。

7.3.8 主电气传动系统宜设置"检修调试/集中控制"两种控制方式。传动协调控制站宜设置"检修调试/现地控制/集中控制"三种控制方式。控制优先权应为"检修调试"高于"现地程控","现地程控"高于"集中控制"。

7.3.9 主电气传动系统应具有下列主要功能:
1 按给定的运行速度图运行;
2 正常停机、快速停机和紧急停机;
3 预加力矩;
4 任一传动装置故障退出无扰动继续运行;
5 抑制轴扭振;
6 避免与建筑物和金属结构发生共振。

7.3.10 主传动系统应设置下列保护:
1 失压重启保护;
2 过电流保护;
3 过载保护;
4 I^2t 超限保护;
5 全行程过速保护;
6 失速保护;
7 多重超程保护;
8 主回路短路保护。

7.3.11 交流变频装置的功率应与电动机功率配套选择,并应按电动机的最大运行电流确定交流变频装置的额定电流。

7.3.12 主电气传动系统基本性能指标应符合下列规定:
1 系统静特性指标,速度静差应小于或等于0.5%;调速范围应大于或等于50;

2 系统动特性指标,对位置信号、速度图给定信号无超调,调节时间不应大于1s;对30％额定负载的突变负载扰动,其动态速度允许变化范围为±2.0％,恢复时间应为1s。

7.3.13 电动机型式应根据承船厢驱动机构的形式和主传动系统方案选配。电动机选型设计应符合现行国家标准《起重机设计规范》GB/T 3811的有关规定。

7.3.14 主电气传动系统采用交流变频传动时,电动机宜采用带有独立冷却风机的鼠笼型交流变频异步电动机,并按其接电率确定工作制。多电动机驱动系统电动机之间的固有机械特性差不宜大于2.0％。电动机功率除应大于或等于按启动及持续运行要求计算的功率外,还应兼顾故障条件下应急运行的功率要求。当电动机布置于承船厢上时,外壳防护等级(IP)不应低于IP54。

7.4 运 行 监 控

7.4.1 单级升船机应设置计算机监控系统。多级升船机除每级设置1套计算机监控系统外,还应设置1套航运调度计算机管理系统。计算机监控系统的监控范围应包括涉及升船机运行的上游引航道、上闸首、船厢室段、下闸首、下游引航道、变电所等部位的机电设备。

7.4.2 计算机监控系统方案和关键设备配置应按"硬件冗余、软件容错"原则进行设计。以货运为主的升船机,在满足安全运行的前提下,可适当简化系统设计方案和配置。

7.4.3 升船机计算机监控系统宜采用分层分布式控制结构,设置集中监控层和现地控制层。集中监控层应设操作员工作站、工程师工作站等设备。操作员工作站应采用双机热备冗余配置。对于重要的大型升船机,集中监控层除设有双机热备操作员工作站外,亦可设置1套双机热备可编程逻辑控制器(PLC)流程控制站作为升船机流程控制站,操作员工作站作为升船机流程控制的人机接口,并具有升船机流程控制的后备功能。

7.4.4 系统网络宜采用交换式工业级以太网络。网络宜设集控层和现地层二层架构。300t级及以上的湿运型升船机，现地层网络宜采用冗余结构，并采用热备用方式运行。

7.4.5 现地控制层宜根据升船机现场控制与检测对象的布置进行设置。现地控制站的核心控制器件宜采用具有网络通信功能的PLC。重要的现地控制站PLC和输入/输出(I/O)点宜采用双机热备冗余配置。

7.4.6 升船机应设置下列主要通航运行控制流程：

1 通航初始化运行流程；
2 上行运行流程；
3 下行运行流程；
4 停航运行流程；
5 紧急保护流程。

7.4.7 升船机计算机监控系统应具有下列主要功能：

1 集中监控层功能应符合下列内容：
 1）流程控制；
 2）单机构控制；
 3）联动控制；
 4）实时数据采集；
 5）安全闭锁；
 6）故障报警；
 7）事件顺序记录与事故追忆；
 8）报表的生成与打印；
 9）系统状态自诊断。

2 现地控制站功能应符合下列内容：
 1）数据采集与处理；
 2）控制方式切换；
 3）机构动作控制；
 4）安全闭锁；

5）故障报警及保护；

6）信号状态显示。

7.4.8 操作员站应设置"自动程序/单步动作"两种运行控制方式。控制优先权应为"单步动作"高于"自动程序"。现地控制站应设置"检修调试/现地控制/集中控制"三种运行控制方式。控制优先权应为"检修调试"高于"现地控制"、"现地控制"高于"集中控制"。

7.4.9 升船机控制系统应具有防误操作闭锁。

7.4.10 计算机监控系统应设置"紧急停机"按钮和"故障保护"按钮。升船机紧急停机命令的触发应采用"连环群发"方式。

7.4.11 升船机的关键动作应设有安全闭锁条件。现地控制站间安全闭锁条件的连接宜采用"I/O硬引用"方式。升船机的关键动作安全闭锁满足条件应包括下列内容：

1 承船厢驱动机构启动运行安全闭锁条件。承船厢厢头门关闭到位并锁定，闸首与承船厢之间对接的所有机构全部解除并退回到位。

2 门间间隙充水条件。间隙密封机构推出到位并压紧，顶紧装置推出到位并顶紧，夹紧装置推出到位并夹紧。

3 门间隙泄水条件。工作大门通航闸门和承船厢厢头门关闭到位并锁定。

4 间隙密封机构退回条件。间隙水深为零或低于某一设定值。

5 通航闸门和承船厢厢头门开启条件。间隙密封、顶紧和夹紧机构推出到位并压紧，闸门前后的水位差满足设计条件。

7.4.12 升船机应设置下列主要保护功能：

1 电动机的短路、过热、过速保护；

2 电气传动装置故障保护；

3 PLC死机或网络通信故障保护；

4 失电保护；

  5 机构动作极限位置保护；

  6 机构动作超时保护；

  7 承船厢/承船车运行超速保护；

  8 机构过载保护；

  9 制动器系统故障保护；

  10 承船厢/承船车水平度超差故障保护。

7.4.13 计算机监控系统的软件应与硬件系统相适应，且应选用成熟、可靠、开放的监控平台支撑软件。

7.4.14 系统的主要性能指标应满足下列规定：

  1 系统可用率不应小于99.9%；

  2 操作员站和工程师站主机负荷率不应大于50%；

  3 现地控制站中央处理器(CPU)负荷率不应大于50%；

  4 以太网通信负荷率不应大于40%；

  5 集中监控层设备平均故障间隔时间(MTBF)不应小于20000h；

  6 现地控制层设备平均故障间隔时间(MTBF)不应小于30000h；

  7 数据库刷新周期：模拟量不应大于采样周期，开关量不应大于1s；

  8 开关量信号输入至画面显示的响应时间不应大于2s；

  9 画面对键盘操作指令的响应时间：一般画面不应大于1s，复杂画面不应大于2s，画面上数据的刷新周期不应大于1s；

  10 从键盘发出操作指令到通道模块输出和返回信号从通道模块输入至画面显示不包括执行器动作时间的总时间应小于2s。

7.4.15 升船机计算机监控系统的交流控制电源应采用在线式不间断电源。

7.5 非电量信号检测

7.5.1 信号检测装置的输出信号制式和接口方式应满足监控系

统信号采集的要求。

7.5.2 对重要的非电量检测,应采取冗余配置和容错设计,且宜采用不同工作原理的检测装置进行测量。

7.5.3 信号检测装置的防护应满足现场环境的要求。

7.5.4 升船机应设置下列主要非电量信号检测项目:
1　上、下游水位检测;
2　承船厢水深及门间间隙水深检测;
3　行程检测;
4　停位找点检测;
5　运行速度检测;
6　机构位置检测;
7　机构荷载检测;
8　同步轴扭矩检测;
9　船舶探测;
10　齿轮齿条爬升式升船机螺纹副间隙检测;
11　齿轮齿条爬升式升船机驱动齿轮荷载检测。

7.5.5 承船厢停位检测宜采用停位点直接检测法。承船厢的行程和水深检测宜采用多点平均法。

7.6　通航信号与语音广播

7.6.1 升船机通航信号系统的信号灯设置应按现行行业标准《船闸电气设计规范》JTJ 310 的有关规定执行。

7.6.2 升船机不同行进方向的信号灯应具有互锁关系。进、出厢的灯光信号与闸首和承船厢厢头工作闸门的位置应具有互锁关系。

7.6.3 升船机宜设置航道宽度界限标志。

7.6.4 升船机应设置1套语音广播系统。运行调度广播与消防广播宜合并设置,消防广播的优先级应高于运行调度广播。

7.6.5 广播范围应覆盖上下游引航道区间、上下闸首区间、承船厢室区间、升船机主机房、控制室,以及升船机重点安全防护位置与公共设施等区域。

7.6.6 广播系统功放设备总容量应按所有广播负荷区额定功率总和及线路的衰耗确定。

7.6.7 音频传输方式宜采用定电压输出方式,输出电压宜采用100V或120V。

7.7 图像监视

7.7.1 升船机应设置1套图像监视系统。

7.7.2 监视范围应涵盖上、下游引航道,上、下闸首,承船厢室和承船厢,以及主机房、变配电室、集中控制室、电气设备室和重要设备机房等场所。宜重点监视下列部位:

    1 上、下闸首工作大门;

    2 承船厢上、下厢头工作闸门、对接装置及防撞装置;

    3 承船厢甲板、水域、疏散通道。

7.7.3 重要部位的摄像机应带有预置位功能。

7.7.4 图像监视系统的设备配置和要求应符合现行国家标准《视频安防监控系统工程设计规范》GB 50395的有关规定。

8 消防及火灾自动报警

8.1 一般规定

8.1.1 升船机各部位建筑物的火灾危险性分类应按表8.1.1确定。

表8.1.1 升船机各部位建筑物火灾危险性分类

部位	承船厢室	控制、通信等弱电室	配电装置室		油浸变压器室	干式变压器室
			内有单台充油量大于60kg的设备	内有单台充油量小于或等于60kg的设备		
火灾危险性	丙	丙	丙	丁	丙	丁
部位	启闭机房	主提升机房、电梯机房	防酸隔爆型铅酸蓄电池室	碱性蓄电池、阀控式蓄电池室	电缆廊道及电缆夹层	水泵房
火灾危险性	丁	丁	丙	丁	丙	戊

8.1.2 升船机建筑物中的油浸式变压器室、承船厢室、下闸首闸面工程以下或封闭部位的耐火等级应为一级，其余部位耐火等级不应低于二级。其建筑物构件的燃烧性能和耐火极限不应低于表8.1.2的规定。

表8.1.2 升船机各部位建筑物构件的燃烧性能和耐火极限(h)

构件名称		耐火等级	
		一级	二级
墙	承重墙、防火墙	不燃烧体3.00	不燃烧体3.00
	楼梯间、电梯井的墙	不燃烧体2.00	不燃烧体2.00
	疏散走道两侧的隔墙	不燃烧体1.00	不燃烧体1.00
	非承重外墙、房间隔墙	不燃烧体0.75	不燃烧体0.50

续表 8.1.2

构件名称	耐火等级	
	一级	二级
柱	不燃烧体 3.00	不燃烧体 2.50
梁	不燃烧体 2.00	不燃烧体 1.50
楼板、疏散楼梯、屋顶承重构件	不燃烧体 1.50	不燃烧体 1.00
吊顶	不燃烧体 0.25	难燃烧体 0.25

8.1.3 除承船厢室外，升船机其他部位的防火分区应符合下列规定：

1 地面及以上部位丁、戊类建筑物，其防火分区允许建筑面积不限；丙类建筑物，其防火分区最大允许建筑面积为 3000m²；

2 地面以下或封闭的部位，其防火分区最大允许建筑面积为 1000m²。

8.1.4 升船机安全疏散出口及疏散距离的设置应符合下列规定：

1 地面以上各建筑物的安全疏散出口不应少于 2 个，且相邻 2 个安全出口最近边缘之间的水平距离不应小于 5m。当每层建筑面积不超过 800m²，且同时值班人数不超过 15 人时，可只设 1 个安全疏散出口。地面以上各建筑物的安全疏散距离不应大于 50m。

2 承船厢室、下闸首闸面高程以下或封闭的部位，其安全疏散出口及疏散距离的设置应按本规范第 8.2.1 条的规定执行。

8.2 消 防

8.2.1 在承船厢室左右两侧混凝土承重塔柱内沿高度方向每隔 6m～10m 宜各设置一条水平疏散通道，疏散通道靠承船厢室一端应设向疏散方向开启的甲级防火门，防火门附近应设置室内消火栓及手提式灭火器。疏散通道的另一端应设置通往室外安全区的疏散楼梯。用水量应能满足同时开启 4 个水量不得小于 5L/s 的消火栓,火灾延续时间为2h的要求。灭火器应配置干粉灭火器,每处灭火器数量不应少于2只。

8.2.2 高度超过32m的塔柱内应按现行国家标准《建筑设计防火规范》GB 50016的有关规定设置防烟楼梯间及前室。

8.2.3 升船机控制室、变电所、启闭机房及电梯机房等机电设备用房应设置移动式灭火器等灭火设备,大型升船机控制室还宜设置气体灭火系统。

8.2.4 升船机的承船厢上应设置消防灭火设施。

8.2.5 承船厢上需要用水的灭火设施可直接从承船厢取水,当承船厢上的灭火设施取水量之和超过承船厢水量的1/3时,应采用其他的供水措施。

8.2.6 多级升船机的中间渠道及渡槽两侧宜设置室外消火栓,同侧室外消火栓间距不应大于120m。每个室外消火栓消防用水量不应小于10L/s,一次灭火用水量不应小于20L/s,火灾延续时间应为2.0h。

8.2.7 升船机内部各部位装修材料的燃烧性能等级不应低于表8.2.7的规定。装修材料燃烧性能等级划分应符合现行国家标准《建筑内部装修设计防火规范》GB 50222的有关规定。

表8.2.7 升船机内部各部位装修材料的燃烧性能等级

火灾危险性分类	装修部位	装修材料燃烧性能等级			
		顶棚	墙面	地面	隔断
丙类	地下	A	A	A	B1
	地上	A	B1	B1	B2
丁类	地下	A	A	B1	B1
	地上	B1	B1	B2	B2

8.2.8 控制室、通信室、变配电室、空调通风机房等房间,其顶棚和墙面应采用A级装修材料;地面和其他部位不应采用低于B1级的装修材料。

8.3 火灾自动报警

8.3.1 升船机应设置火灾自动报警系统,系统的设计应符合现行国家标准《火灾自动报警系统设计规范》GB 50116 的有关规定。火灾报警区域宜按防火分区划分报警区域,也可按上闸首、下闸首、承船厢室段建筑和承船厢划分报警区域。

8.3.2 在承船厢机房、闸首启闭机房、主提升机房、变配电室、集中控制室、现地控制机房、电梯机房、电缆层及电缆桥架等设备布置集中的区域,应根据现场和设备的特点设置适用的火灾报警探测器。

8.3.3 火灾报警系统宜采用集中报警控制方式。集中火灾报警控制器、消防控制屏或控制终端宜设置在升船机集中控制室内,区域火灾报警控制器宜设置在各报警区域。

8.3.4 报警系统电源应设置主电源和备用直流电源。

8.3.5 消防专用电话可与升船机调度电话合用。

8.3.6 升船机应设置火灾应急广播系统,火灾应急广播可与通航指挥广播系统合用。

8.3.7 火灾自动报警系统的接地应接入升船机工程公共接地网,并应用专用接地干线引至接地网。专用接地干线应采用铜导体,其截面积不应小于 $25mm^2$。

8.3.8 升船机的主要疏散通道、楼梯间、消防电梯、安全出口均应设置消防应急照明及疏散指示标志。

附录A 承船厢纵倾稳定性计算

A.0.1 钢丝绳卷扬式垂直升船机承船厢在设计水深条件下的纵倾稳定性应按下列公式计算：

$$a \geqslant S a_c \quad \text{(A.0.1-1)}$$

$$a_c = \sqrt{\left(1 + \frac{EAR_r^2 l_r n_r}{2GJHn_a i_a^2}\right)\frac{g\rho BL^3 H}{3n_r EA}} \quad \text{(A.0.1-2)}$$

式中：S——纵倾稳定安全系数，S 的取值不应小于2.2；

a——驱动点纵向中心距(m)；

a_c——临界中心距(m)；

g——重力加速度(m/s²)；

ρ——水体密度(t/m³)；

B——承船厢水域宽度(m)；

L——承船厢水域长度(m)；

H——提升绳(连接卷筒与承船厢的钢丝绳)的最大悬吊长度，取卷筒出绳点至最低位承船厢吊耳孔中心的距离(m)；

E——提升绳的弹性模量(kN/m²)，E 的取值约为 1.0×10^8；

A——单根提升绳的金属横截面积(m²)；

n_r——提升绳的数量；

R_r——卷筒的名义半径(m)；

l_r——连接单边纵向两卷扬机的同步轴总长度(m)；

J——单根同步轴横截面的极惯性矩(m⁴)；

n_a——纵向同步轴个数，矩形和X形同步轴 n_a 值取2，工字形同步轴 n_a 值取1；

i_a ——同步轴与卷筒的转速比；

G ——钢材的切变模量(kN/m^2)，G 的值取 $8.08×10^7$。

A.0.2 齿轮齿条爬升式升船机承船厢在设计水深条件下的纵倾稳定性应按下列公式计算：

$$a \geqslant S a_c \quad (A.0.2\text{-}1)$$

$$a_c = \sqrt{\left(1 + \frac{2kR_p^2 l_p}{GJn_a i_p^2}\right)\frac{g\rho BL^3}{12k}} \quad (A.0.2\text{-}2)$$

式中：k ——单个驱动齿轮在承船厢的支承弹性系数(kN/m)，可采用有限元法进行计算；

R_p ——驱动齿轮的分度圆半径(m)；

l_p ——连接单边纵向驱动机构的同步轴总长度(m)；

i_p ——同步轴与驱动齿轮的转速比。

附录 B 塔柱风荷载体形系数

B.0.1 垂直升船机承重结构风荷载体形系数(图 B.0.1)应根据其平面形状采用。

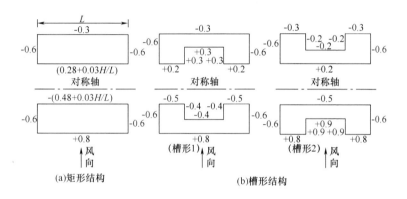

图 B.0.1 风荷载体形系数图

附录 C 承船厢设计工况与荷载组合

C.0.1 承船厢设计应按正常和非正常工况下作用在承船厢上的不利荷载组合进行计算,对高地震区及以通过客船为主的工程还应计算特殊工况下的荷载组合。

C.0.2 承船厢设计工况与荷载组合计算应符合下列规定:

1 不下水式钢丝绳卷扬垂直升船机承船厢设计工况与荷载组合可按表 C.0.2-1 采用。

表 C.0.2-1 不下水式钢丝绳卷扬垂直升船机承船厢设计工况与荷载组合表

序号	荷载分类	正常工况 运行 升降	正常工况 运行 对接	正常工况 检修 空厢锁定	正常工况 检修 水厢锁定	非正常工况 船舶撞击	非正常工况 对接水满厢	非正常工况 对接沉船	非正常工况 承船厢水漏空	特殊工况 地震 升降	特殊工况 地震 对接
1	水压力	√	√	—	√	√	√	√	√	√	√
2	结构和设备重力	√	√	√	√	√	√	√	√	√	√
3	重力平衡绳拉力	√	√	—	—	√	√	√	√	√	√
4	提升绳拉力	√	√	√	√	√	√	√	√	√	√
5	系缆力	—	—	—	—	—	√	—	—	—	√
6	风荷载	√	√	—	—	√	√	√	√	√	√
7	导向机构支承反力	√	—	—	—	√	—	—	—	√	—
8	导向机构摩阻力	√	—	—	—	√	—	—	—	√	—
9	顶紧机构支承反力	—	√	√	√	—	√	√	√	—	√
10	锁定机构支承反力	—	√	√	√	—	√	√	√	—	√

续表 C.0.2-1

序号	荷载分类	工况类型							
		正常工况				非正常工况		特殊工况		
		运行		检修		船舶撞击	对接水满厢	对接沉船	承船厢水漏空	地震	
		升降	对接	空厢锁定	水厢锁定					升降	对接
11	密封机构作用荷载	—	√	—	—	√	√	√	√	—	√
12	对接外水压力	—	√	—	—	√	√	√	—	—	√
13	沉船荷载	—	—	—	—	—	—	√	—	—	—
14	船舶撞击力	—	—	—	—	√	—	—	—	—	—
15	地震作用	—	—	—	—	—	—	—	—	√	√
16	检修支承反力	—	—	√	√	—	—	—	—	—	—

注：1 检修工况系指承船厢卸掉全部钢丝绳，空厢或湿厢支承在下锁定平台。
2 "√"表示参与荷载组合，"—"表示不参与荷载组合。

2 下水式钢丝绳卷扬垂直升船机承船厢设计工况及荷载组合可按表 C.0.2-2 采用。

表 C.0.2-2 下水式钢丝绳卷扬垂直升船机承船厢设计工况与荷载组合表

序号	荷载分类	工况类型									
		正常工况					非正常工况			特殊工况		
		运行				检修	对接水满厢	船舶撞击	对接沉船	承船厢水漏空	地震	
		空中升降	对接	承船厢下水	承船厢出水	空厢锁定					升降	对接
1	水压力	√	√	√	√	—	√	√	√	—	√	√
2	结构和设备重力	√	√	√	√	√	√	√	√	√	√	√
3	重力平衡绳拉力	√	√	√	√	—	√	√	√	√	√	√

续表 C.0.2-2

序号	荷载分类	正常工况 运行 空中升降	对接	承船厢下水	承船厢出水	检修 空厢锁定	非正常工况 对接水满厢	船舶撞击	对接沉船	特殊工况 承船厢水漏空	地震 升降	对接
4	提升绳拉力	√	√	√	√	—	√	√	√	√	√	√
5	风荷载	√	√	—	—	√	√	√	√	√	√	√
6	系缆力	—	√	√	√	—	√	√	√	—	—	√
7	导向机构支承反力	√	—	√	√	—	—	—	—	√	√	—
8	导向机构摩阻力	√	—	√	√	—	—	—	—	√	√	—
9	顶紧机构支承反力	—	√	—	—	—	√	√	√	—	—	√
10	锁定机构支承反力	—	√	—	—	—	√	√	√	—	—	√
11	密封机构作用荷载	—	√	—	—	—	√	—	√	—	—	√
12	对接外水压力	—	√	—	—	—	√	—	√	—	—	√
13	承船厢下水波浪压力	—	—	√	—	—	—	—	—	—	—	—
14	承船厢下水浮力	—	—	√	—	—	—	—	—	—	—	—
15	承船厢离水下吸力	—	—	—	√	—	—	—	—	—	—	—
16	沉船荷载	—	—	—	—	—	—	—	√	—	—	—
17	船舶撞击力	—	—	—	—	—	—	√	—	—	—	—
18	地震作用	—	—	—	—	—	—	—	—	—	√	√
19	检修支承反力	—	—	—	—	√	—	—	—	—	—	—

注：1 承船厢检修工况系指卸掉全部钢丝绳，空厢支承在上锁定平台。
  2 "√"表示参与荷载组合，"—"表示不参与荷载组合。

3 齿轮齿条爬升式垂直升船机承船厢设计工况与荷载组合可按表 C.0.2-3 采用。

表 C.0.2-3 齿轮齿条爬升式垂直升船机承船厢设计工况与荷载组合表

序号	荷载分类	正常工况 运行 升降	正常工况 运行 对接	正常工况 检修 空厢锁定	正常工况 检修 水厢锁定	非正常工况 船舶撞击	非正常工况 对接水满厢	特殊工况 承船厢水漏空	特殊工况 对接沉船	特殊工况 承船厢室进水	特殊工况 地震 升降	特殊工况 地震 对接
1	水压力	√	√	—	√	√	√	—	√	√	√	√
2	结构和设备重力	√	√	√	√	√	√	√	√	√	√	√
3	重力平衡绳拉力	√	√	√	√	√	√	—	√	√	√	√
4	齿轮驱动力	√	—	—	—	—	—	—	—	—	√	—
5	系缆力											
6	风荷载	√	√	√	√	√					√	√
7	纵、横导向支承反力及摩阻力	√	—	—	—	—	—	—	—	—	√	—
8	纵向顶紧支承反力及摩阻力	—	√	—	—	—	—	—	—	—	—	√
9	锁定机构作用力	—	√	—	—	—	—	—	—	—	—	√
10	安全机构作用力	—	—	—	—	√	—	—	—	—	—	—
11	检修支承反力	—	—	√	√	—	—	—	—	—	—	—
12	对接外水压力	—	√	—	—	—	—	—	—	—	—	√
13	密封框作用荷载	—	√	—	—	—	√	—	√	—	—	√
14	沉船荷载	—	—	—	—	—	—	—	√	—	—	—
15	船舶撞击力	—	—	—	—	√	—	—	—	—	—	—
16	地震作用	—	—	—	—	—	—	—	—	—	√	√
17	承船厢浮力	—	—	—	—	—	—	—	—	√	—	—

注：1 "检修支承反力"适用于承船厢检修工况，空厢锁定和湿厢锁定其承船厢支承于安全机构或底部检修支承上。

2 "√"表示参与荷载组合，"—"表示不参与荷载组合。

4 钢丝绳卷扬式斜面升船机承船车设计工况与荷载组合可按表C.0.2-4采用。

表C.0.2-4 钢丝绳卷扬式斜面升船机承船车设计工况与荷载组合表

序号	荷载分类	工况类型							
		正常工况				非正常工况		特殊工况	
		干运	湿运	制动停机		大风锁定		地震	
				干运	湿运	干车	湿车	干运	湿运
1	水压力	—	√	—	√	—	√	—	√
2	结构和设备重力	√	√	√	√	√	√	√	√
3	钢丝绳拉力	√	√	√	√	√	√	√	√
4	行走机构支承反力	√	√	√	√	√	√	√	√
5	行走机构摩擦力	√	√	√	√	√	√	√	√
6	承船车入水浮力	√	√	—	—	—	—	√	√
7	系缆力	√	√	√	√			√	√
8	风荷载	√	√	√	√	√	√	√	√
9	船舶压力	√	—	√	—			√	—
10	地震作用	—	—	—	—	—	—	√	√

注:"√"表示参与荷载组合,"—"表示不参与荷载组合。

附录 D 主提升机、驱动系统、牵引绞车设计工况与荷载组合

D.0.1 升船机主提升机、驱动系统与牵引绞车应根据可能的正常、非正常以及特殊工况的相应荷载进行设计。

D.0.2 主提升机、驱动系统、牵引绞车设计工况与荷载组合计算应符合下列规定:

1 不下水式钢丝绳卷扬垂直升船机主提升机设计工况与荷载组合可按表 D.0.2-1 采用。

表 D.0.2-1 不下水式钢丝绳卷扬垂直升船机主提升机
设计工况与荷载组合表

| 序号 | 荷载分类 | 工况类型 ||||||||||
| | | 正常工况 || 非正常工况 ||||| 特殊工况 |||
		承船厢升降	承船厢对接	断一钢丝绳	对接一制动器失效	一电传失效升降	对接水满厢	升降承船厢漏水	紧急机械制动	对接沉船	承船厢水漏空	升降二电传失效
1	设计水深下提升绳拉力	√	√	√	√	√	√	√	√	√	√	√
2	重力平衡绳拉力	√	√	√	√	√	√	√	√	√	√	√
3	转矩平衡绳拉力	√	√	√	√	√	√	√	√	√	√	√
4	设备自重	√	√	√	√	√	√	√	√	√	√	√
5	误载水重	√	√	√	√	√	√	√	√	√	√	√
6	承船厢总重与平衡重总重差	√	√	√	√	√	√	√	√	√	√	√

续表 D.0.2-1

序号	荷载分类	正常工况 承船厢升降	非正常工况 承船厢对接	非正常工况 断一钢丝绳	非正常工况 对接一制动器失效	非正常工况 一电传失效升降	非正常工况 对接水满厢	非正常工况 升降承船厢漏水	非正常工况 紧急机械制动	特殊工况 对接沉船	特殊工况 承船厢水漏空	特殊工况 升降二电传失效
7	钢丝绳僵性阻力	√	—	—	—	√	—	√	√	—	—	√
8	承船厢和平衡重惯性力	√	—	—	—	√	—	√	√	—	—	√
9	滑轮和卷筒组摩阻力	√	—	—	—	√	—	√	√	—	—	√
10	导向系统摩阻力	√	—	—	—	√	—	√	√	—	—	√
11	钢丝绳不平衡重量	√	√	√	√	√	√	√	√	√	√	√
12	设备惯性力矩	√	—	—	—	√	—	√	√	—	—	√
13	厢内沉船荷载	—	—	—	—	—	—	—	—	√	—	—
14	安全制动系统制动力	—	√	√	√	—	√	√	√	√	√	—

注：1 "承船厢总重与平衡重总重差"为承船厢在设计水深条件下实际重量与平衡重实际总重的差值。

2 "钢丝绳不平衡重量"仅限于不设平衡链的升船机。

3 "升降承船厢漏水"工况指承船厢少量漏水。

4 "断一钢丝绳"工况指主提升机立即制动停机。

5 "误载水重"为设计水深与实际水深之差的不平衡荷载。

6 "升降二电传失效"工况为双重故障，该工况升船机继续完成本次运行或立即停机检修。

7 "√"表示参与荷载组合，"—"表示不参与荷载组合。

2 下水式钢丝绳卷扬垂直升船机主提升机设计工况与荷载组合可按表 D.0.2-2 采用。

表D.0.2-2 下水式钢丝绳卷扬垂直升船机主提升机设计工况与荷载组合表

序号	荷载分类	正常工况			非正常工况						特殊工况		
		承船厢空中升降	承船厢水中升降	承船厢对接	断一钢丝绳	对接一制动器失效	一电传失效升降	对接水满厢	升降承船厢漏水	紧急机械制动	对接沉船	承船厢水漏空	升降二电传失效
1	设计水深下提升绳拉力	✓	✓	✓	✓	✓	✓	✓	✓	✓	✓	✓	✓
2	重力平衡绳拉力	✓	✓	✓	✓	✓	✓	✓	✓	✓	✓	✓	✓
3	转矩平衡绳拉力	✓	✓	✓	✓	✓	✓	✓	✓	✓	✓	✓	✓
4	主提升机设备自重	✓	✓	✓	✓	✓	✓	✓	✓	✓	✓	✓	✓
5	误载水重	✓	✓	✓	✓	✓	✓	✓	✓	✓	✓	✓	✓
6	承船厢总重与平衡重总重差	✓	✓	✓	✓	✓	✓	✓	✓	✓	✓	✓	✓
7	钢丝绳僵性阻力	✓	✓	—	✓	—	✓	—	✓	✓	—	✓	✓
8	承船厢和平衡重惯性力	✓	✓	—	✓	—	✓	—	✓	✓	—	✓	✓
9	滑轮和卷筒组摩阻力	✓	✓	—	✓	—	✓	—	✓	—	—	✓	✓
10	导向系统运行摩阻力	✓	✓	—	✓	—	✓	—	✓	✓	—	✓	✓
11	钢丝绳不平衡重量	✓	✓	✓	✓	✓	✓	✓	✓	✓	✓	✓	✓
12	水体浮力	—	✓	—	—	—	✓	—	—	—	—	—	✓

续表 D.0.2-2

序号	荷载分类	工况类型											
		正常工况			非正常工况						特殊工况		
		承船厢空中升降	承船厢水中升降	承船厢对接	断一钢丝绳	对接一制动器失效	一电传失效升降	对接水满厢	升降承船厢漏水	紧急机械制动	对接沉船	承船厢水漏空	升降二电传失效
13	设备惯性力矩	✓	✓	—	—	—	✓	—	✓	✓	—	✓	✓
14	厢内沉船荷载	—	—	—	—	—	—	—	—	—	✓	—	—
15	安全制动系统制动力	—	—	✓	✓	✓	—	✓	—	✓	—	—	—

注：1 "对接一制动器失效"工况，包括承船厢与闸首对接和承船厢下水后主提升机停机的工况。
　　2 "承船厢水漏空"工况应按承船厢继续运行至检修停位位置停机检修设计。
　　3 "✓"表示参与荷载组合，"—"表示不参与荷载组合。

3 齿轮齿条爬升式垂直升船机驱动系统设计工况与荷载组合可按表 D.0.2-3 采纳。

表 D.0.2-3 齿轮齿条爬升式垂直升船机驱动系统设计工况与荷载组合表

序号	荷载分类	工况类型					
		正常	非正常			特殊	
		承船厢升降	一电传失效升降	承船厢水漏空	紧急机械制动	承船厢室进水	升降二电传失效
1	驱动系统设备自重	✓	✓	✓	✓	✓	✓
2	误载水重	✓	✓	—	✓	—	✓
3	承船厢总量与平衡重总重差	✓	✓	✓	✓	—	✓
4	钢丝绳僵性阻力	✓	✓	—	✓	—	✓

续表 D.0.2-3

序号	荷载分类	工况类型					
		正常	非正常			特殊	
		承船厢升降	一电传失效升降	承船厢水漏空	紧急机械制动	承船厢室进水	升降二电传失效
5	承船厢和平衡重惯性力	√	√	—	√	—	√
6	滑轮摩阻力	√	√	—	√	—	√
7	导向系统运行摩阻力	√	√	—	√	—	√
8	钢丝绳不平衡重量	√	√	—	√	—	√
9	设备惯性力矩	√	√	—	√	—	√
10	安全机构摩阻力	√	√	—	√	—	√
11	齿轮极限荷载	—	—	√	√	√	—
12	安全制动系统制动力	—	—	√	√	√	—

注：1 "齿轮极限荷载"在"承船厢水漏空"和"承船厢室进水"工况时数值相同。
2 "√"表示参与荷载组合，"—"表示不参与荷载组合。

4 钢丝绳卷扬式斜面升船机牵引绞车设计工况与荷载组合可按表 D.0.2-4 采用。

表 D.0.2-4 钢丝绳卷扬式斜面升船机牵引绞车设计工况与荷载组合表

序号	荷载分类	工况类型		
		正常工况		非正常工况
		升降	进出船	紧急机械制动
1	牵引绞车设备自重	√	√	√
2	设备惯性力矩	√	—	√
3	承船车总重的斜坡分量	√	√	√
4	风荷载	√	—	√
5	钢丝绳重力斜坡分量	√	√	√

续表 D.0.2-4

序号	荷载分类	工况类型		
		正常工况		非正常工况
		升降	进出船	紧急机械制动
6	钢丝绳僵性阻力	√	—	√
7	支承台车摩擦阻力	√	—	√
8	卷筒、滑轮摩阻力	√	—	√
9	承船车总重惯性力	√	—	√
10	钢丝绳与托辊之间摩擦力	√	—	√
11	安全制动系统制动力	—	√	√

注:1 干运承船车总重等于承船车自重与船舶载重、船舶自重之和,湿运承船车总重等于承船车自重与水体重量之和。

2 "√"表示参与荷载组合,"—"表示不参与荷载组合。

附录 E 驱动电动机功率计算

E.0.1 钢丝绳卷扬式垂直升船机主提升机的单台电动机功率可按下式计算：

$$P = \frac{k}{n-1}\left(\frac{Fv}{\eta} + \frac{J_{red}\alpha\omega}{1000}\right) \quad (E.0.1)$$

式中：P——单台电动机的计算功率(kW)；

F——主提升机额定提升力、驱动系统额定驱动力、牵引绞车额定牵引力(kN)，当下水式升船机采用恒功率调速时，取承船厢在空气中运行的主提升机提升力；

v——承船厢正常运行速度(m/s)，对下水式垂直升船机，取承船厢在空气中的运行速度；

J_{red}——主提升机、驱动系统或牵引绞车所有转动设备转换到电动机轴上的惯性矩(kg·m²)；

α——与承船厢正常升降加速度对应的电动机轴的正常旋转角加速度(s^{-2})；

ω——与承船厢正常升降速度对应的电动机轴的正常旋转角速度(s^{-1})；

η——机械传动系统总效率。对主提升机和牵引绞车，η值可为0.85；对驱动系统，η值可为0.65；

n——电动机数量；

k——交流变频控制系统的功率消耗系数，k值可为1.05。

E.0.2 齿轮齿条爬升式垂直升船机驱动系统单台电动机功率可按下式计算：

$$P = \frac{k}{n-1}\left(\frac{Fv}{\eta} + \frac{J_{red}\alpha\omega}{1000} + \frac{M_r\omega_r}{\eta_r}\right) \quad (E.0.2)$$

式中：M_r ——齿轮齿条爬升式垂直升船机安全机构旋转螺杆与推力轴承端面的摩擦力矩（kN·m）；

ω_r ——与承船厢正常升降速度对应的旋转螺杆的正常旋转角速度（s^{-1}）；

η_r ——齿轮齿条爬升式垂直升船机从电动机经减速器中间出轴至安全机构旋转螺杆的机械效率，η_r值取 0.9。

E.0.3 钢丝绳卷扬式斜面升船机牵引绞车单台电动机功率可按下式计算：

$$P = \frac{k}{n}\left(\frac{Fv}{\eta} + \frac{J_{red}\alpha\omega}{1000}\right) \quad (\text{E.0.3})$$

本规范用词说明

1 为便于在执行本规范条文时区别对待,对要求严格程度不同的用词说明如下:

1）表示很严格,非这样做不可的:

正面词采用"必须",反面词采用"严禁";

2）表示严格,在正常情况下均应这样做的:

正面词采用"应",反面词采用"不应"或"不得";

3）表示允许稍有选择,在条件许可时首先应这样做的:

正面词采用"宜",反面词采用"不宜";

4）表示有选择,在一定条件下可以这样做的,采用"可"。

2 条文中指明应按其他有关标准执行的写法为:"应符合……的规定"或"应按……执行"。

引用标准名录

《建筑结构荷载规范》GB 50009
《建筑设计防火规范》GB 50016
《钢结构设计规范》GB 50017
《建筑物防雷设计规范》GB 50057
《火灾自动报警系统设计规范》GB 50116
《高耸结构设计规范》GB 50135
《内河通航标准》GB 50139
《电子信息系统机房设计规范》GB 50174
《建筑内部装修设计防火规范》GB 50222
《视频安防监控系统工程设计规范》GB 50395
《渐开线圆柱齿轮承载能力计算方法》GB/T 3480
《起重机设计规范》GB/T 3811
《直齿轮和斜齿轮承载能力计算 第5部分:材料的强度和质量》GB/T 8539
《水工建筑物荷载设计规范》DL 5077
《高层建筑混凝土结构技术规程》JGJ 3
《船闸总体设计规范》JTJ 305
《船闸水工建筑物设计规范》JTJ 307
《船闸启闭机设计规范》JTJ 309
《船闸电气设计规范》JTJ 310
《水利水电工程启闭机设计规范》SL 41
《水利水电工程钢闸门设计规范》SL 74
《水工混凝土结构设计规范》SL 191
《水工建筑物抗震设计规范》SL 203
《混凝土重力坝设计规范》SL 319

中华人民共和国国家标准

升船机设计规范

GB 51177-2016

条文说明

制 订 说 明

《升船机设计规范》GB 51177—2016，经住房城乡建设部 2016 年 8 月 18 日以第 1280 号公告批准发布。

本规范在制订过程中，先后组织数十人次对国外升船机进行考察，通过调研、征求意见，对编写内容反复讨论斟酌，总结了我国升船机建设领域的工程实践经验，同时参考了国外先进的技术法规及标准。

为便于广大的设计、施工、科研、学校等单位有关人员在使用本规范时正确理解和执行条文规定，《升船机设计规范》编制组按章、节、条顺序编制了本规范的条文说明，对条文规定的目的、依据以及执行中需要注意的有关事项进行了说明，还对强制性条文的强制性理由做了解释。但本条文说明不具备与规范正文同等的法律效力，仅供使用者作为理解和把握规范规定的参考。

目　　次

1 总　则 …………………………………………………… （79）
3 基本规定 ………………………………………………… （81）
　3.1 级别划分和设计标准 ……………………………… （81）
　3.2 承船厢与承船车有效尺度 ………………………… （82）
　3.3 通过能力 …………………………………………… （85）
4 选型及布置 ……………………………………………… （86）
　4.1 形式选择 …………………………………………… （86）
　4.2 总体布置 …………………………………………… （88）
　4.3 垂直升船机布置 …………………………………… （89）
　4.4 斜面升船机布置 …………………………………… （94）
　4.5 上、下闸首设备布置 ……………………………… （97）
5 建筑物设计 ……………………………………………… （100）
　5.1 一般规定 …………………………………………… （100）
　5.2 设计荷载及荷载组合 ……………………………… （100）
　5.3 结构设计 …………………………………………… （102）
　5.4 抗震设计 …………………………………………… （103）
6 金属结构和机械设备设计 ……………………………… （106）
　6.1 一般规定 …………………………………………… （106）
　6.2 闸首金属结构和机械设备 ………………………… （107）
　6.3 承船厢与承船车结构 ……………………………… （111）
　6.4 主提升机和牵引绞车 ……………………………… （113）
　6.5 驱动系统和安全机构 ……………………………… （118）
　6.6 平衡重系统 ………………………………………… （122）
　6.7 承船厢设备 ………………………………………… （124）

7 电气系统设计 …………………………………………… (128)
　7.1 一般规定 …………………………………………… (128)
　7.2 供配电与接地………………………………………… (128)
　7.3 主电气传动系统……………………………………… (130)
　7.4 运行监控 …………………………………………… (133)
　7.5 非电量信号检测……………………………………… (138)
　7.6 通航信号与语音广播………………………………… (139)
　7.7 图像监视 …………………………………………… (140)
8 消防及火灾自动报警 …………………………………… (141)
　8.1 一般规定 …………………………………………… (141)
　8.2 消防 ………………………………………………… (142)
　8.3 火灾自动报警………………………………………… (143)

1 总　　则

1.0.1 随着岩滩、水口、隔河岩一级、隔河岩二级、高坝洲和彭水升船机的相继建成,以及三峡、向家坝升船机的建设,我国升船机建造方面已积累了丰富经验。升船机的形式也由单一的移动式钢丝绳卷扬垂直升船机,发展到钢丝绳卷扬全平衡式、钢丝绳卷扬承船厢下水式、齿轮齿条爬升式垂直升船机和钢丝绳卷扬式斜面升船机等多种形式。为了统一我国升船机工程的设计,保证工程建设质量,在总结过去升船机工程设计经验的基础上,特制定本规范。

1.0.2 本条对本规范的适用范围进行了规定。其中钢丝绳卷扬提升式垂直升船机可分为:承船厢不下水全平衡式升船机和承船厢下水式升船机,钢丝绳卷扬式斜面升船机可分为:不下水全平衡式和下水式斜面升船机,本规范中的钢丝绳卷扬式斜面升船机专指下水式。钢丝绳卷扬移动式垂直升船机和钢丝绳卷扬不下水全平衡式斜面升船机不在本规范的规定范围内。

1.0.3 升船机是一个集结构、机械、液压、机电多学科于一体的复杂工程,特别是三峡升船机采用了齿轮齿条爬升式,其采用了许多的新技术、新材料、新设备和新工艺,带动了我国升船机工程的技术进步。本条强调了慎重地采用新技术、新材料、新设备和新工艺,以确保在技术先进的同时做到工程安全可靠和经济合理。

1.0.4 本规范为新编规范。在此之前,国内外均没有专门针对升船机工程建设的设计规范。我国仅在 2007 年,编制了行业标准《水电水利工程垂直升船机设计导则》DL/T 5399—2007。众多升船机设计参考了国家现行标准《起重机设计规范》GB/T 3811、《水利水电工程钢闸门设计规范》SL 74、《水利水电工程启闭机设计规范》SL 41、《水工混凝土结构设计规范》SL191、《高层建筑混凝土结构技术规程》JGJ 3等。虽然本规范从升船机工程建设特点方面做出了众多规定,但仍不可能完全囊括众多规范中的所有内容,因而做出了本条规定。

3 基 本 规 定

3.1 级别划分和设计标准

3.1.1 升船机等级划分主要是根据通过升船机的设计最大船舶吨级确定,这种等级划分方式与现行国家标准《内河通航标准》GB 50139 规定的航道等级划分是一致的。

我国已建和在建的升船机中,桐坝、安康升船机为 100t 级,岩滩升船机为 250t 级,高坝洲、隔河岩升船机为 300t 级,1973 年 11 月建成的丹江口 150t 级升船机也正在进行 300t 级升级改造,彭水、构皮滩、思林升船机为 500t 级,水口、亭子口升船机为 2×500t 级,向家坝升船机为 2×500t 级并兼顾 1000t 级,三峡升船机为 3000t 级。现行国家标准《内河通航标准》GB 50139 将航道通航等级划分为 7 级,且其Ⅶ级航道通过船舶为 50t 级。但对于通过 50t 级船舶的Ⅶ级航道来说,50t 级船舶采用钢丝绳卷扬移动式垂直升船机即可。虽然目前我国桂林、杭州、黄山、宣城、丽水、滁州、宿迁等地,已建或规划兴建 50t 级的垂直升船机多用于城市水系景观工程的旅游项目,其要求与本规范所列的有关升船机仍有较大差别,对此难以做出规定。因此,本规范所涉及的范围仅涵盖Ⅰ级～Ⅵ级升船机的设计。

3.1.2 升船机承船厢或承船车及其机械设备的设计与装载船舶总吨级密切相关,装载船舶总吨级越大,其重要程度越大,对安全的关注程度也就越高。为便于设计,本条对升船机的规模按承船厢或承船车装载船舶总吨级进行了大、中、小型划分的界定。

3.1.4 升船机的设计水平年是指其通过能力应满足设计水平年规划客货运量的要求。升船机的设计水平年限的确定,主要考虑以下几方面的因素:

（1）我国经济已走上快速、稳步和持续发展的轨道。对水运工程建设，已有条件预测未来较长时期水运的发展。

（2）为充分利用水运资源，给远期发展留有余地，对受工程地形、地质或施工条件等限制，以后难以再升级、扩建和改建的升船机工程，宜采用更长的年限。

本条规定的设计水平年年限采用20a～30a的要求与现行行业标准《船闸总体设计规范》JTJ 305的要求是一致的。

3.1.5 目前国内各河流的船舶标准化工作尚未最后完成，航道上船舶船型的种类较多、差异较大，但终究要达到统一和标准化的。因而规定升船机工程设计应采用标准船型，兼顾现有船型的要求，以适应现有船舶航行需要。

3.1.7 升船机水工建筑物的级别划分参考了现行行业标准《船闸水工建筑物设计规范》JTJ 307的相关规定。

3.1.9 通航水头超过80m的升船机，建筑物总高度一般都超过100m，具有超高层建筑的特点。为保证工程安全，规定了当升船机的提升高度超过80m时，承重结构级别宜提高一级。

3.1.10 承船厢的误载水深是全平衡式升船机的主要荷载来源，应分析研究后确定。误载水深与工程上下游水域的水位变率密切相关，尤其是下游水位变率与电站机组调峰和工程其他建筑泄水流量的关系十分敏感。虽然升船机升降时的承船厢误载水深可通过水深调节与间隙充泄水系统予以调节，但承船厢水深的调节时间有可能影响升船机每天运行次数和工程的通过能力。此外，对接工况承船厢水域与上游或下游水域连通，上下游航道的水位变率通常需根据航道状况通过计算分析或试验确定。

3.2 承船厢与承船车有效尺度

3.2.1 升船机承船厢或承船车有效水域的长度、宽度、水深的取值直接关系到承船厢的结构尺寸及整个运动系统部分的质量。

（1）富裕总长度 l_f 与船舶进承船厢或承船车的方式及速度、船舶吨位大小有关。目前船舶驶入承船厢或承船车的方式有自航和顶推两种,且受驾驶人员操作技术熟练程度影响较大。在相同航速下,船舶吨位越大,所产生的惯性越大,停车所需的富裕长度也越长。国内已建升船机船舶富裕总长度大多为 4m～7m。但富裕总长度越长,升船机投资越大,因而工程建设应尽可能减小富裕总长度。3m 富裕总长度的要求兼顾了 100t 小型升船机要求。

（2）富裕总宽度 b_f 与船舶驶进承船厢的航行速度以及环境因素等有关,应与承船厢水深和船舶进出承船厢的限定速度统筹考虑。在条件允许的情况下,承船厢或承船车有效宽度中相对设计船型的富裕总宽度应尽可能小,以减小承船厢、平衡重系统及其动力机构的规模。根据国内已建升船机资料,富裕总宽度一般取为 0.8m～1.2m。

（3）承船厢的富裕水深 ΔH 的大小与船舶进出承船厢或承船车的速度、承船厢断面系数和承船厢底板的不平整系数等因素有关。

船舶行驶时,以艉部的下沉量为最大。船舶进、出承船厢时,由于驶出承船厢/承船车船艉后部水域面积较小,艉部的下沉量明显大于驶进承船厢或承船车时艉部的下沉量。为保证船舶航行安全,承船厢或承船车的富裕水深 ΔH 应大于船舶下沉量 D。船艉下沉量的确定,可采用南京水利科学研究院的下列经验公式求得:

$$D = 7.07 \left(\frac{1}{n}\right)^{2.3} (Fr)^{1.5} T \qquad (1)$$

$$n = \frac{\omega_k}{\omega_c} \qquad (2)$$

$$Fr = \frac{v}{\sqrt{gh}} \qquad (3)$$

式中：D ——船艉下沉量(m)；

T ——船舶吃水深度(m)；

n ——断面系数；

ω_k ——船舯浸水断面积(m^2)；

ω_c——承船厢或承船车水体横断面积(m^2);
Fr——弗劳德数;
v——船舶刚出厢门时的速度(m/s);
h——承船厢或承船车内的通航水深(m);
g——重力加速度(m/s^2)。

为减小船舶进出承船厢或承船车时的阻力,提高行进速度,在条件允许情况下,承船厢或承船车有效水深应适当留有余度。

国内已建和在建升船机承船厢有效尺度统计如表1所示。

表1 国内已建和在建升船机承船厢有效尺度统计表

工程	通航规模（t级）	船舶尺寸(m)（长×宽×吃水）	承船厢有效尺度(m)（长×宽×设计水深）	富裕长度（m）	富裕宽度（m）	水深系数
隔河岩	300	35×9.2×1.3	42×10.2×1.7	7	1	1.31
水口	2×500	111×10.8×1.6	114×12×2.5	4	1.2	1.56
彭水	500	55×10.8×1.6	59×11.7×2.5	4	0.9	1.56
亭子口	2×500	112×10.8×1.6	116×12×2.5	4	1.2	1.56
三峡	3000（单船）	84.5×17.2×2.65	120×18×3.5	—	0.8	1.32
三峡	1500（船队）	109.4×14.0×2.78	120×18×3.5	10.6	4	1.258
向家坝	2×500（船队）	111×10.8×1.6	116×12×2.8	4	1.2	—
向家坝	1000（单船）	85×10.8×2.0	116×12×2.8	—	1.2	1.4

3.2.2 干湿两用型斜面升船机通常是按干运船舶设计,即当采用干运时,承船厢门处于水平状态,拓展了底铺板的承船长度,承船车长度可按略小于设计最大船舶的长度设计,但湿运过船规模则

需按承船车厢头门关闭后形成的水域有效长度确定。

3.3 通 过 能 力

3.3.1 单向通过能力系指客、货运量起控制作用方向的通过能力。

3.3.3 南京水利科学研究院、上海船舶运输科学研究所、天津水运工程科学研究所等单位对水口、岩滩、大化、三峡等垂直升船机和丹江口、拓溪等斜面升船机的试验结果表明,承船厢的断面系数不宜小于1.5,船舶进出厢时平均航速不宜大于0.5m/s。

3.3.4～3.3.6 根据国内资料提出了单级升船机过机时间和通过能力的计算公式。

全平衡式垂直升船机承船厢的额定升降速度采用0.15m/s～0.25m/s,是以国内已建成的几座升船机所采用值为基础,经适当延伸后的取值。当提升高度大,过机运量大时宜采用大值。在满足运量要求的情况下,宜尽量采用低值。

承船厢下水式升船机在水中的运行距离很短,并受承船厢水力学条件的限制,升降速度不宜取得太大,岩滩升船机承船厢水中运行速度为0.03m/s,为留有余地,本规范建议不大于0.03m/s。承船厢在空气中的速度在满足运量的情况下不宜太高,否则主提升机驱动功率会过大。

早期丹江口斜面升船机承船车的牵引速度为0.5m/s,丹江口大坝加高和升船机扩建后,为保证升船机的安全性与运行平稳,牵引速度减低到0.3m/s。

4 选型及布置

4.1 形式选择

4.1.1 升船机选型应考虑通航条件的适应性,升船机运行的安全性,与枢纽其他建筑物施工布置的协调性,升船机土建结构、金属结构、机电设备布置的合理性,土建施工及设备制造、运输、安装技术的难易程度,设备操作、维护和工程运行管理条件的优劣,工程投资及运行费用的高低等。本条规定了升船机选型的主要技术条件。除非某种形式升船机的技术经济优势非常明显,否则可行性研究需对两种或两种以上不同的升船机形式进行比较。通常进行比较的升船机形式主要包括:单级与多级升船机、垂直与斜面升船机、下水式与不下水式升船机、钢丝绳卷扬提升式与齿轮齿条爬升式升船机等。

4.1.2 枢纽泄洪、冲沙泄水、电站调峰、事故甩负荷等对升船机下游航道的水位都会产生较大影响,开闸、开机过快,会在下游产生较大的水位变率,当水位上升或下降过快时,有可能会造成水漫承船厢或船只搁浅事故,升船机选型时需要予以足够重视。当不下水式升船机难以适应该运行条件时,需考虑选用下水式垂直升船机。

4.1.3 单级升船机提升高度过高时,支撑结构的刚度和基础稳定问题就越显突出。对于单级垂直升船机,目前已建成的比利时斯特勒比升船机提升高度73m、我国岩滩升船机提升高度68.5m、水口升船机提升高度59m、彭水升船机提升高度66.6m、三峡升船机提升高度113.0m;在建的向家坝升船机提升高度114.2m、亭子口升船机提升高度85.4m。而多级垂直升船机,已建成的清江隔河岩两级升船机的总提升高度124m(其中第一级提升高度42.0m、第二级提升高度82.0m），在建的乌江构皮滩三级升船机的最大提升高度199m。

基于上述统计，提升高度在120m以下时宜优先采用单级，超过120m时可经方案比较后采用两级或多级。

4.1.4 干运升船机的船只将搁置在无水的承船厢或承船车内，尽管干运承船厢底铺板上铺设了弹性材料承压垫，但由于船舶底部荷载状态发生了改变，有可能会造成船体结构损伤，因而规定对于大中型升船机应采用承船厢盛水的湿运形式。

4.1.5 湿运斜面升船机很难适应水利水电工程的水位变化条件，并且在承船厢升降期间发生电网断电事故时，水平惯性会对承船厢/承船车系船柱产生较大水平冲击力，尚未寻求到可靠、简便的安全措施；干运斜面升船机则存在过驼峰的换向冲击问题。而垂直升船机的技术十分成熟，且不存在断电时的水平惯性力的问题，已成为大中型升船机工程优先选用的形式。

4.1.6 不下水式垂直升船机的承船厢在空气中运行，滑轮两侧载荷的变化主要是悬吊钢丝绳的长度差引起的，数值变化不大，采用全平衡式有较大优势，且技术也十分成熟，因而不下水式垂直升船机推荐采用全平衡式。承船厢下水的湿运垂直升船机平衡重的配置应兼顾其承船厢在水中和在空气中的运行，此外承船厢水中运行时水的浮力和张力也在不断变化，都将导致在每次运行中滑轮两侧载荷发生在不断改变，因而需采用部分平衡式。

4.1.7 本条给出了承船厢不下水式全平衡垂直升船机与承船厢下水式部分平衡垂直升船机的主要适用条件。

不下水式全平衡垂直升船机的承船厢总重量由平衡重全部平衡，承船厢升降时，主提升机仅需克服承船厢内的误载水重、悬吊系统惯性力、钢丝绳僵性阻力、系统摩阻力等荷载。因此，主提升机的驱动电动机功率相对较小，运行成本相对较低。但全平衡垂直升船机防止承船厢漏水事故的能力相对较小。另外，为保持承船厢的全平衡条件，需要设置挡下游航道水的下闸首，以及相应的工作闸门及启闭机设备。全平衡垂直升船机要求下游航道的水位变率不能太快,否则有可能造成船舶进出承船厢过程中水漫承船厢或船舶搁浅事故。

　　下水式部分平衡垂直升船机的平衡重总重一般为承船厢总重的70%以上,且绝大部分平衡重为由卷筒悬吊的转矩平衡重,主提升机的驱动荷载除全平衡式所包含的荷载外,还包括承船厢与平衡重之间的不平衡重量、钢丝绳不平衡重量、承船厢出入水时的下吸力或上托力等荷载,因此,其主提升机设备规模和电动机功率相对较大,运行成本相对较高。但下水式部分平衡垂直升船机具有一定防厢内水体全部漏空事故的能力。另外,由于无须设置下闸首工作闸门及其启闭机,简化了下闸首的设备布置和运转程序。下水式部分平衡垂直升船机适用于航道通航水位变率较快、水位变幅较大的运行条件,在船舶进出承船厢过程中,当航道水位变化造成的承船厢误载水深超过主提升机的提升能力时,可随时调整承船厢的停靠高程。

　　根据国内已建升船机工程的设计经验,在适应航道水位变率较快和防止承船厢漏水事故能力方面,下水式部分平衡垂直升船机高于全平衡垂直升船机;在工程造价和运转费用方面,全平衡垂直升船机低于下水式部分平衡垂直升船机。

4.1.8 钢丝绳卷扬式升船机具有技术较成熟、设备制造安装难度较小、造价相对较低的特点,目前国内已建的大中型全平衡垂直升船机大多采用钢丝绳卷扬式。对于以通航客轮为主的大中型全平衡垂直升船机,当对其安全性有更高要求时,也可选用齿轮齿条爬升式垂直升船机,当然高的安全性也带来高成本投资。

4.2　总体布置

4.2.1 升船机位置选择的原则是要充分利用地形、地质条件,通航水流条件,协调配置各项建筑物,使其能较好地满足通过能力、节约投资、安全运行、维修管理等方面的要求。选择升船机位置时,一般要解决升船机形式、轴线位置、引航道出口条件、与枢纽的关系等问题。

4.2.2 为满足升船机对外交通和遭遇事故时人员疏散的要求,同时为方便承船厢及设备的运输和安装,升船机宜临岸布置。如若无法避开溢流坝、泄水闸、电站等建筑物,通常需专题研究上述建筑物泄水时对升船机运行及引航道通航水流的影响,必要时应采取工程措施减小这种影响,如布置足够长度的隔流堤或隔流墙等。

4.2.3 为避免多级升船机设中间渠道后,船舶过坝时间过长,升船机通过能力降低的矛盾,在中间渠道中宜布置错船和临时待航停泊的区域。我国已建成的清江隔河岩升船机为两级垂直升船机,两级之间的中间渠道由上段在岩基上开挖后用钢筋混凝土衬砌形成的渠道和下段采用预应力钢筋混凝土渡槽两部分组成,有效水域宽30m,内设有系船柱,考虑了300t级船舶错船的要求。丹江口升船机为一级钢丝绳卷扬移动式垂直升船机与一钢丝绳牵引式双斜面升船机,且两升船机之间设有中间渠道的通航建筑,其中间渠道内设有靠船墩,用于船舶临时停靠,船舶在渠道内可错船。乌江彭水水电站通航建筑物是船闸与垂直升船机,船闸和垂直升船机之间的中间渠道也考虑了错船的要求。

4.3 垂直升船机布置

4.3.2 鉴于承船厢需要在承船厢室内最终完成安装工作,为满足承船厢重大结构的运输和大型设备安装的需要,土建结构上常预留吊装孔洞和预埋安装埋件。当承船厢采用整体浮运方案时,下闸首航槽的施工安排应预留出浮运的空间。

当客轮通过升船机时,如遇紧急情况,应使用设置的通道及时对乘客进行疏散。此外,承船厢的安装、维护和检修的通道和空间等都应在布置设计时统筹考虑。

4.3.3 承船厢室底面高程和平衡重井的底面高程是在升船机设计初期总布置阶段确定的,在随后的设计中不易修改。因此对相关因素需仔细考虑。

4.3.4 承重结构下部挡水结构应能抵挡一定频率的洪水，以免承船厢室经常被淹没。其周边挡墙高程通常与枢纽工程的下游设计洪水水位相一致。

4.3.5 承船厢室底板高程较低，需设有排水设施，以便将流入承船厢室内的检修、渗漏和降水等水体排出，因而承船厢室底部地面应有一定斜坡，以便水体流向闸室集水井。

4.3.6 为便于升船机运行人员工作，通常在上下闸首闸顶面层、承船厢与平衡重检修安装平台层、主机房地面层等高程设置电梯停站层。当在承船厢室底板层设置停站层时，应注意电梯轿厢底部电气设备的防水防淹。

水平疏散通道之间的间隔高度通常与承重结构内部层高、承船厢主纵梁高度和疏散楼梯形式有关，一般要根据其工程的具体情况确定。三峡升船机塔柱楼梯间层高3m，水平疏散通道之间的间隔高度为6m。

4.3.8 钢丝绳卷扬式垂直升船机承船厢在维修、调平、钢丝绳更换或张力调整时，承船厢都需要支承在底部支承平台或承重结构的支承牛腿上。本条列出了不同形式的钢丝绳卷扬式垂直升船机的锁定支撑要求。

4.3.9 承船厢与闸首或闸首工作闸门止水座板之间间隙的大小，直接影响到升船机的船只过机时间与工程通过能力，一般在满足施工要求的前提下宜尽可能减小，但应注意闸首工作门槽埋件及船厢纵向导轨安装误差、船厢长度温变、地震时承重结构与闸首的相对变位等因素的影响。

承船厢与两侧承重结构墙壁之间间隙的大小，与卷筒滑轮直径大小、承船厢现场安装和维修方式等密切相关。间隙尺寸在满足承船厢现场安装要求下，一般不宜过大。

4.3.10 此处所说的四点驱动，是指将驱动系统分成四个纵横对称的区域。对于齿轮齿条爬升式垂直升船机，驱动点为驱动齿轮和齿条的啮合点；对于钢丝绳卷扬式垂直升船机，驱动点是指主提升机设备每个区域卷扬机构的对称中心线的交点。驱动点的位置对承船厢变形有很大的影响。合理选择驱动点的位置，以保证承船厢的整体稳定性，并可减小承船厢结构在正常升降运行下的挠度值。

4.3.11 钢丝绳卷扬式垂直升船机，由于悬吊转矩平衡重的钢丝绳作用于卷筒的拉力是可以由安全制动器制动的，因而通过加大转矩平衡重的重量可以有效提高升船机的安全性。当转矩平衡重较小时，为了增加承船厢在诸如失水等事故情况下的制动能力，可以设置可控平衡重。该平衡重可由设置在可控卷筒上的制动器制动。

平衡重系统的布置既受制于设备布置和承重结构布置，同时影响承船厢结构受力的合理性，需综合考虑，一般采用分组对称布置。

对下水式钢丝绳卷扬垂直升船机，由于重力平衡重不受主提升机的控制，在下水过程中可形成对承船厢下水的阻碍作用，有可能使承船厢不能入水至设计深度。因此提出了可只设转矩平衡重的建议。

4.3.12 钢丝绳的数量和规格选择是总体布置的重要组成部分。对于钢丝绳卷扬式垂直升船机，在同样的安全系数之下，选择较多较细的钢丝绳，可以减少主提升机设备的规模。但由于占据较大的纵向空间，承船厢受力优化的余地减小。对于钢丝绳卷扬式全平衡垂直升船机，可能与实现增大转矩平衡重要求相矛盾，因此应根据设备布置条件综合考虑。

4.3.13 卷筒和滑轮名义直径 D 与钢丝绳直径 d 的比值大小，主要是考虑到钢丝绳的疲劳寿命。在国家"七五"攻关针对三峡升船机钢丝绳进行的专项研究中，建议卷筒和滑轮与钢丝绳直径比不小于60。在已建和在建升船机钢丝绳卷扬式垂直升船机中，卷筒和滑轮与钢丝绳直径比，除水口为58、斯特勒比为56.5

外,其余均大于60。虽然规范中未对钢丝绳的寿命有所规定,但鉴于钢丝绳更换极为复杂,一般都要求钢丝绳使用期限超过50a,采用较大的D/d比值可有效减小钢丝的弯曲应力,有利于延长钢丝绳的使用寿命。综合考虑钢丝绳的使用寿命以及升船机的经济性,规定卷筒和滑轮名义直径D与钢丝绳直径d的比值不宜小于60。

4.3.14 钢丝绳是钢丝绳卷扬式升船机承船厢的悬吊支承构件。钢丝绳安全性及运行寿命涉及过往船只和人员的安全,对于升船机整体安全性至关重要,必须对钢丝绳的安全系数以及影响钢丝绳寿命的钢丝强度指标做出强制性的规定。目前国内所设计的大中型升船机中,与平衡重相连的钢丝绳安全系数均不小于7.0,连接卷筒和承船厢的钢丝绳安全系数均不小于8.0。比利时斯特勒比升船机钢丝绳安全系数为8.0,德国吕内堡升船机钢丝绳的安全系数为7.0。

在国家"七五"攻关针对三峡升船机钢丝绳进行的专项研究中,根据国外升船机钢丝绳及我国矿井提升机钢丝绳安全系数的研究,同时考虑到升船机多绳提升及设计寿命长的特点,建议三峡升船机钢丝绳安全系数取8.0,钢丝的强度等级为1770MPa。随着钢丝绳的制造技术的发展,适当提高了钢丝绳钢丝的强度级别。连接平衡重的钢丝绳由于张力基本恒定,安全系数可适当降低。

除此之外,对多绳提升的升船机卷扬钢丝绳,为避免钢丝绳在长期运行中的非弹性伸长造成承船厢的倾斜,使承船厢始终保持水平状态,钢丝绳出厂时需进行预拉伸处理,从而确保钢丝绳长期运行中为线弹性构件。

本条文为强制性条文,必须严格执行。

4.3.15 钢丝绳卷扬式全平衡垂直升船机承船厢驱动点纵向中心距是否合理关系到承船厢变形的控制。较小的承船厢驱动点纵向中心距会导致承船厢挠度增大,且多发生在厢头,如果影响厢头设备的使用功能，只能以加高纵梁高度或制造时预施加承船厢反变形等措施弥补。

承船厢驱动点纵向中心距过小会减小升船机纵倾稳定安全裕度。

目前已运行或已完成调试的隔河岩一级、二级升船机，高坝洲升船机，彭水升船机和岩滩升船机，承船厢驱动点纵向中心距与承船厢总长度之比及升船机纵倾稳定安全系数如表 2 所示。

表 2 升船机纵倾稳定安全系数表

项目	升船机名称				
	隔河岩一级	隔河岩二级	高坝洲	彭水	岩滩
驱动点纵向中心距与承船厢总长度之比	23.8/47	24/47	26/50	36/71	24.8/48.5
承船厢纵倾稳定安全系数	3.04	2.26	3.64	3.00	3.71

4.3.16 转矩平衡重总重量的确定是下水式垂直升船机总体布置的重要内容。制约下水式垂直升船机主提升机布置方案的主要因素是主提升机轴向布置尺寸的限制以及减速器末级齿轮的制造可行性，这两个因素与主提升机的额定提升力相关。主提升机的荷载应综合考虑承船厢在空气中和在水下两种状态，因此应根据结构疲劳累积损伤理论，计算两个荷载过程的减速器低速级齿轮弯曲疲劳等效荷载，并以此作为主提升机的额定提升力。由于下水式垂直升船机承船厢总重和平衡重总重不相等，主提升机的额定提升力直接取决于平衡重的重量。当平衡重重量较为接近承船厢重量时，主提升机的承船厢水上运行荷载较小，但在承船厢入水后荷载会很大。由于承船厢出、入水是每次运行必然发生的过程，且这个过程将持续一定时间，因此，每次运行中减速器低速级齿轮均会承受一次入水最大荷载。该荷载过大，会使主提升机的额定提升力过大，从而加大主提升机减速器的制造难度。反之，当平衡重

重量较小时,由于减速箱齿轮在水上的荷载循环次数远大于水下的荷载循环次数,这同样会增大主提升机的额定提升力,并增大运行功率。因此,只有当平衡重重量为某一合适值时,额定提升力为最小。公式(4.3.16)是满足额定提升力最小要求的条件公式。其中折减系数 γ 与承船厢的结构有关,如承船厢水力学设计合理,承船厢下水时所受浮力小,则 γ 值较大;否则 γ 值较小。低速级传动比 i 与减速器内部齿轮布置有关。由于在初步设计中,承船厢结构及减速器内部参数一般尚未确定,因此,γ 和 i 的取值有人为的因素。在一般情况下,可按中间偏大取值;如承船厢的最大提升高度小于 45m,γ 和 i 可取最大值,以增大平衡重,减小电机功率;如提升高度大于 80m,γ 和 i 可取偏小值,以控制主提升机在承船厢至水下时的最大荷载。当按公式(4.3.16)计算出的平衡重总重小于承船厢总重的 70% 时,通常就按承船厢总重的 70% 确定;当计算出的平衡重总重大于或等于承船厢总重的 70% 时,就按计算值确定平衡重总重。

4.3.17 在承重结构顶部机房设置的安装、检修起重机,不仅用于机房内的主提升机设备或滑轮设备的安装检修,有时还用于平衡重系统等其他部件的安装。起升重量需按起吊零部件的最大重量考虑,起升高度则按最低位的设备考虑,其服务空间须考虑靠近机房墙体的滑轮等设备吊装对起重机吊钩极限位置的要求。

4.4 斜面升船机布置

4.4.2 斜面升船机斜坡道坡度的大小,主要是根据升船机布置区域的地形地质等条件确定。国内 50t 以下的小型斜面升船机居多,规模较大的有成浦 80t 斜面升船机、丹江口 150t 斜面升船机(现改造为 300t 级斜面升船机)。国外较大型的斜面升船机有比利时隆库尔 1350t 斜面升船机和前苏联克拉斯诺雅尔斯克的 1500t 斜面升船机。上述斜面升船机都采用纵向斜坡道,各升船机的斜坡道坡比如表 3 所示。

表3 斜面升船机斜坡道坡比表

工程名称	戌浦	丹江口		隆库尔	克拉斯诺雅尔斯克
		150t级	300t级		
坡比	1:5	1:7	1:7	1:20	1:10

参照以往工程经验,斜面升船机坡道可采用1:5～1:20的坡度。实际工程中,斜面升船机的斜坡道坡度的选取,主要还是取决于升船机的设计水头和斜坡道所利用的地形坡度,宽度取决于承船厢的有效宽度和支承轮的横向跨度。

4.4.3 下水式纵向斜面升船机上下游水位变幅较大,承船厢在下水后的停靠位置随水位的变化在较大范围内变动,导航墙的布置,需沿斜坡道从承船厢在最高通航水位时的停靠位置开始,一直布置到承船厢在最低通航水位时的停靠位置以下0.5倍～1.0倍承船厢有效长度为止。

4.4.5 为使斜面升船机的承船车在上下游斜坡道保持水平状态,一般采用的方案是在斜坡道上设置两条等高轨道、在承船车上设置两条高支腿和两条矮支腿,或在斜坡道上设置两条高轨道和两条低轨道、在承船车上设置四条高支腿。丹江口升船机中,上游斜坡道长约90m,下游斜坡道长约330m,由于上游坡段长度较短,在上游斜坡道设置了四条高低轨,在下游斜坡道设置了两条等高轨,在承船车上设置了四条高支腿和两条矮支腿,这比在下游斜坡道设置四条高低轨的工程要小很多,技术和经济性更加合理。

4.4.6 由于斜面升船机驼峰处的设备布置条件对滑轮直径有一定的制约,因此其滑轮直径与钢丝绳直径的比值低于垂直升船机的直径比。丹江口原150t级斜面升船机滑轮与钢丝绳直径比为46.4,大坝加高后的300t级斜面升船机滑轮与钢丝绳直径比为46.9,卷筒直径与钢丝绳直径比为54.7。此外,斜面升船机沿斜坡道运行,事故危害程度较垂直升船机低,且更换钢丝绳也较垂直升船机方便。综合考虑斜面升船机的布置条件及中小型升船机的经济性，规定卷筒、转向滑轮名义直径与钢丝绳直径的比值不宜小于45。

斜面升船机钢丝绳都是缠绕在卷筒上，因此安全系数与钢丝绳卷扬式垂直升船机的提升绳安全系数一致，其数量在满足安全系数要求的情况下根据布置条件确定。丹江口原150t级斜面升船机钢丝绳的安全系数为9.13，大坝加高后的300t级斜面升船机钢丝绳安全系数为8.57。

4.4.7 设置钢丝绳长度调节装置是为了便于在安装过程中对钢丝绳长度进行适量的调节，使各根钢丝绳的松紧度基本均匀。设置钢丝绳张力均衡装置是为了保证承船车运行过程中各根钢丝绳的受力均衡。设置钢丝绳张力检测装置则是为了对钢丝绳张力进行监测，以保证升船机运行安全。

4.4.8 承船车在斜坡道运行过程中，牵引钢丝绳与轨道顶面的夹角是变化的，因此承船车在不同的位置，同一个托轮与钢丝绳的间隙是不同的，在确定各个托轮的安装高程时，应使托轮与钢丝绳之间具有适当的间隙。

4.4.9 当承船车运行遇大风时，需运行至锚定位置锚定。在此过程中不应发生承船车倾覆事故，因此通常都根据现行国家标准《起重机设计规范》GB/T 3811对该工况下承船车横向抗倾覆稳定性进行验算。如不满足则应加大轨道间距。

承船车设置锚定装置，一方面是用于承船车设备的检修，使承船车固定；另一方面是当实际风压超过最大运行风压时，斜面升船机需停止运行，承船车通过锚定装置锁定。锚定装置一般布置在驼峰部位，使承船车在轨道平段检修。

4.4.10 设置轨铲的目的是使承船车在运行过程中清除掉轨道上的障碍物，避免承船车脱轨。

4.4.11 承船车过驼峰时，由于牵引绞车设备旋转方向改变，钢丝绳从松弛状态变为张紧状态，会造成对承船车的冲击。采用辅助驱动装置等措施，可控制和减小冲击现象。对于小型的干运斜面升船机,为降低工程造价,可利用承船车的惯性直接过驼峰。

4.4.12 承船车在行进过程中钢丝绳不可能与斜坡道轨道平行,其角度随着承船车的行进而变化,驼峰顶部导向滑轮的布置应使牵引钢丝绳轴线在承船车运行过程中与轨道的夹角最小,以使钢丝绳支承在尽可能多的托轮上。

对于牵引绞车,如果钢丝绳太多太长,使卷筒长度过长,而承船车宽度有限,有可能影响钢丝绳的偏角,此时应采取增大卷筒直径等方法予以避免。

4.5 上、下闸首设备布置

4.5.1 目前国内已建和在建的承船厢下水式垂直升船机有两种不同的形式,一种是岩滩升船机和构皮滩第三级升船机采用的承船厢下游下水式,其承船厢在下游航道水域直接下水,下闸首仅需设置一道检修闸门,上闸首则设置一道工作闸门和一道检修闸门;另一种是构皮滩第一级升船机采用的承船厢上游下水式,其承船厢在上游水库水域直接下水,上闸首设置一道检修闸门,下闸首设置一道工作闸门和一道检修闸门。

升船机上游的运行水位较高,当上闸首作为大坝挡水前沿的一部分时,若上闸首工作闸门因损坏造成大量泄水事故,将对大坝和升船机造成很大危害,此种情况下应在上闸首设置事故闸门,以便在工作闸门发生事故时能快速下门挡水。为简化设备布置,上闸首检修闸门可按事故闸门的运行条件设计,使其兼作事故闸门。

4.5.3 对于建在水利水电工程的单级垂直升船机,其上下游航道均存在较大的水位变幅,闸首工作闸门的形式应适应航道的水位变化条件。对于两级或多级垂直升船机,与中间渠道连接的闸首的通航水位基本保持恒定,闸门设计不需考虑水位变化。在洪水期,航道水位与水流条件不满足通航要求时升船机需断航,升船机上下闸首由检修闸门挡水,上闸首检修闸门的最高挡水位宜采用枢纽工程的上游防洪水位。当下游最高洪水位低于闸顶高程时,下闸首检修闸门的最高挡水位采用下游最高洪水位；当下游洪水位高于闸顶高程时，一般采取将下闸首工作闸门提出门槽、允许洪水翻越下闸首进入承船厢室方案，下闸首检修闸门的最高挡水位按照升船机检修水位确定。

4.5.4 当闸首航槽最大通航水深在承船厢厢头高度范围以内时，承船厢可与闸首直接对接，闸首闸门由启闭机提升至通航净空以上即可。

当闸首航槽最大通航水深超出承船厢厢头高度时，承船厢无法与闸首直接对接，只能与闸首工作闸门对接，闸首工作闸门通常选用带卧倒小门的下沉式平面闸门或上层为带卧倒小门的提升式平面闸门与下层为叠梁门的组合门形式。此种情况下，下闸首工作闸门均选用带卧倒小门的下沉式平面闸门形式。当上游航道水位变幅小于12m时，上闸首工作闸门优先选用带卧倒小门的下沉式平面闸门；当上游航道水位变幅超过12m时，上闸首工作闸门通常选用上层为带卧倒小门的提升式平面闸门与下层为叠梁门的组合门形式。上闸首检修闸门一般选用上层为提升式平面闸门、下层为叠梁门形式，下闸首检修闸门则一般选用叠梁门形式。

上闸首工作闸门的选型主要取决于上游航道的水位变幅，为简化设备布置与运行程序，应尽量选用整扇平面闸门方案，当因整扇平面闸门的挡水水头过大造成设备布置及制造安装难以实施时，应考虑上层为带卧倒小门的提升式平面闸门与下层为叠梁门相结合的形式。

4.5.5 当闸首工作闸门采用提升式平面闸门时，为满足闸门全开条件下的通航净空要求，闸门启闭机宜选用固定卷扬式启闭机，相应的检修闸门可采用固定卷扬式启闭机或移动式启闭机。当工作闸门采用下沉式平面闸门时，闸门启闭机可选用固定卷扬式启闭机或液压式启闭机。对于固定卷扬式启闭机，需在通航净空以上设置启闭机机房。采用液压启闭机则可使闸首景观相对简洁、美观，当液压启闭机的扬程较大时，为减小设备规模、降低制造安装难度,可采用步进式液压启闭机方案,相应的检修闸门则采用移动式启闭机。当闸首工作闸门采用提升式平面闸门与叠梁门组合形式时,闸门启闭机一般选用移动式启闭机,已建升船机工程中多采用桥式启闭机形式,相应的检修闸门则可采用桥式启闭机或门式启闭机。

4.5.6 采用平面闸门与叠梁门组合方案时,工作叠梁门的增减需在无水条件下进行,增减叠梁门期间,上游由检修闸门挡水,通过泄水系统泄掉两道闸门之间的水体。为避免因泄水系统的水流速度过高,造成气蚀、振动等对土建结构的破坏,应采取消能措施。三峡升船机、亭子口升船机均设置了上闸首泄水系统,根据物理模型试验结果,采用了中空喷射阀门作为消能设备。

4.5.7 当闸首工作闸门采用提升式平面闸门时,承船厢将直接与闸首对接,用于对接的承船厢拉紧装置和间隙充泄水系统有条件设在闸首上,采用该方案可简化承船厢的设备布置,降低承船厢重量。一般情况下承船厢上的设备布置尽可能对称,以保证驱动系统或主提升机的荷载均衡。因此,对于上闸首工作闸门采用提升式平面闸门与叠梁门组合方案的升船机,无论下闸首工作闸门采用哪种形式,与下闸首对接的间隙密封机构和间隙充泄水系统都应尽可能布置在承船厢上。

4.5.8 一般升船机上闸首航槽两侧都有交通要求,在进行升船机总体设计时,应在航槽上方设置交通桥。当最高通航水位条件下的桥下通航净空满足要求时,交通桥可选用固定桥形式;当最高通航水位条件下的桥下通航净空不能满足要求时,应选用活动桥形式。为降低活动桥启闭机的容量,活动桥一般通过平衡重平衡大部分重量。桥体结构设计应遵循相关的桥梁设计规范。

5 建筑物设计

5.1 一般规定

5.1.2 垂直升船机承重结构属高耸结构,要求整体协调性好,相对于其他类似结构变形要求特别小。由于钢筋混凝土具有耐久性好、整体性好、可模性好等优点,近来建设的垂直升船机承重结构基本上都采用钢筋混凝土,如德国的吕内堡升船机,现正在建设的新尼德芬诺升船机,以及我国已建成的岩滩、水口、隔河岩、高坝洲、彭水等垂直升船机的承重结构均采用钢筋混凝土结构。

5.1.3 本条是升船机建筑物结构设计的基本原则,结构中心线与承船厢结构的中心线一致,结构平面布置相对于中心线对称,结构竖向布置均匀,并具有整体协同变形的能力。在可能出现的薄弱部位,在设计中应采取有效措施,增强其抗震能力。结构宜具有多道抗震防线,避免因部分结构或构件的破坏而导致整个结构丧失承载能力。

5.2 设计荷载及荷载组合

5.2.1 升船机建筑物包括垂直升船机和斜面升船机的上下闸首、垂直升船机的承重结构和顶部机房、斜面升船机的斜坡道,以及相应的附属结构等。不同建筑物的设计荷载有所不同,一般升船机的上下闸首主要考虑建筑物结构自重和永久设备自重、水压力和扬压力、土压力和泥沙压力、风荷载、浪压力、起重机荷载、温度作用和地震作用等;垂直升船机的承重结构主要考虑建筑物结构自重和永久设备自重、风荷载和雪荷载、楼面(梯)及平台活荷载、起重机荷载、温度作用、地震作用以及承船厢安装、运行、检修和事故状态时设备作用在建筑物上的荷载等,斜面升船机的斜坡道主要考虑承船厢荷载。

5.2.4 由于工程布置条件的限制,升船机有可能建在消力池或电站旁边,如高坝洲升船机左侧紧靠大坝泄水闸,向家坝升船机左右侧分别为冲沙闸消力池和电厂尾水,为确保工程的安全和正常运行,设计时应考虑水力振动对升船机的影响。

5.2.5 风荷载是垂直升船机承重结构和顶部机房、闸首排架结构的主要荷载,其取值应遵循国家现行标准《建筑结构荷载规范》GB 50009、《高层建筑混凝土结构技术规程》JGJ 3 的相关规定。

附录 B 所列的体形系数 μ_s 是参照相关规范和三峡升船机等工程的实践给出的,适用于对称布置的垂直升船机承重塔柱结构。

5.2.7 垂直升船机承重结构为薄壁结构时,气温骤降造成的温差分布可按下列方法简化处理:

气温骤降的温差分布采用图 1 所示的线性分布,其中 t_2 为最大温降值,一般取历时 2 天或 3 天内的最大温降值;当气温骤降历时 2 天时 t_1 取第一天末的温降值,当气温骤降历时 3 天时 t_1 取第二天末的温降值。

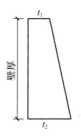

图 1 气温骤降温差分布

5.2.8 三峡升船机塔柱结构的日照温度作用是直接采用日照引起温差分布来计算的。图 2 为三峡升船机模型试验实测的日照引起温差分布,向阳面与背阳面表面温差分别为 26.8℃和 6.7℃,影响深度为 30cm。

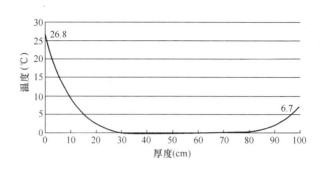

图 2 实测日照引起的温差分布曲线

5.2.9 温度应力是由于温度变形受到约束而产生,当混凝土出现裂缝后,温度应力会由于约束的减弱而降低,裂缝宽度越大则温度应力降低越多,因此温度作用的荷载参与系数应小于 1,且承载能力极限状态下的荷载参与系数小于正常使用极限状态。根据三峡升船机的实践,承载能力极限状态时的参与系数取 0.3～0.4;正常使用极限状态分变形计算和裂缝宽度计算两种,裂缝宽度计算时温差作用的参与系数取 0.5～0.6。变形计算时温差作用的参与系数取 1.0。这是因为升船机竖向承重结构主要承受压应力,一般均不出现裂缝。

5.3 结 构 设 计

5.3.2 在升船机结构设计时一般仍采用弹性方法计算结构的变形,并配以相应的变形限值。参照相关规范及三峡升船机等工程实践,给出了顶部位移与总高度之比不应大于 1/1500 的限值。

5.3.3 垂直升船机钢筋混凝土承重结构施工期应采用温控措施防止混凝土出现裂缝。运行期裂缝控制是根据结构的功能要求和环境对钢筋的腐蚀影响、钢筋材质的腐蚀敏感性、荷载作用的时间等因素来考虑,其最大裂缝宽度通常按现行行业标准《水工混凝土结构设计规范》SL 191 控制。

5.3.4 垂直升船机承重结构的高度一般大于 40m,通常为薄壁高耸结构,属高层建筑范畴,因此配筋设计还应遵循现行行业标准

《高层建筑混凝土结构技术规程》JGJ 3 的规定。

5.3.6 枢纽中的升船机,通常其上闸首都参与挡水,因而需与挡水坝段一样进行抗滑稳定验算,相应设计也应按照现行行业标准《混凝土重力坝设计规范》SL 319 的相关条款执行。

5.3.7 承重结构的抗滑和抗倾覆稳定性应按现行行业标准《船闸水工建筑物设计规范》JTJ 307 执行。基础底面均为压应力时,抗倾覆能力具有足够的安全储备,因此不需再验算结构的倾覆。

5.4 抗震设计

5.4.1 升船机建筑物的抗震设计应遵循现行行业标准《水工建筑物抗震设计规范》SL 203 的规定。对设计烈度为 9 度的升船机建筑物,目前缺乏较成熟的抗震设计经验,故其抗震设计应进行专题论证,并报主管部门审查批准。

5.4.2 质量或刚度分布不均匀、不对称的结构,在水平地震的作用下存在着扭转的问题。即使对于平面规则的结构,国外的多数抗震设计规范也考虑由于施工、使用等原因所产生的偶然偏心引起的地震扭转效应,以及地震地面运动扭转分量的影响。我国的建筑抗震设计规范则规定,当规则结构不考虑扭转耦联计算时,可采用增大边榀结构地震内力的简化处理方法。

5.4.3 对于齿轮齿条爬升式升船机,由于承船厢和承重结构有连接,因此应考虑承船厢水体的动力流固耦合影响。升船机抗震研究表明,升船机承船厢内的动水压力作用,采用 Housner 动水压力计算模型能满足工程要求。Housner 模型包括了两方面的等效,一是作用在承船厢壁上的冲击压力等效的附加质量 M_0,二是对流压力的等效质量 M_n,如图 3 所示。

作用在承船厢壁上的冲击压力附加质量为:

$$M_0 = M \frac{\tanh \sqrt{3} \frac{B}{2h}}{\sqrt{3} \frac{B}{2h}} \quad (4)$$

$$h_0 = \frac{3}{8}h\left[1 + \frac{4}{3}\left(\frac{\sqrt{3}\dfrac{B}{2h}}{\tanh\sqrt{3}\dfrac{B}{2h}} - 1\right)\right] \quad (5)$$

式中：M——承船厢总的水体质量(kg)；

M_0——冲击压力部分等效为的附加质量(kg)；

B——承船厢宽度(m)；

h——承船厢水深(m)；

h_0——附加质量 M_0 距承船厢底部高度(m)。

对流压力的等效质量 M_n、等效弹簧刚度 K_n 分别为：

$$M_n = \frac{M}{n}\frac{\sqrt{10}B}{12h_n}\tanh\left(\frac{\sqrt{10}h_n}{B}\right) \quad (n=1,3,5,\cdots) \quad (6)$$

$$K_n = M_n\frac{\sqrt{10}gn}{B}\tanh\left(\frac{\sqrt{10}h_n}{B}\right) \quad (n=1,3,5,\cdots) \quad (7)$$

式中：g——重力加速度(m/s²)；

M_n——对流压力的第 n 阶对流谐振力等效质量(kg)；

K_n——对流压力的第 n 阶对流谐振力等效弹簧刚度(N/m)；

h_n——对流压力的第 n 阶对流谐振力等效质量距离承船厢底部高度(m)。

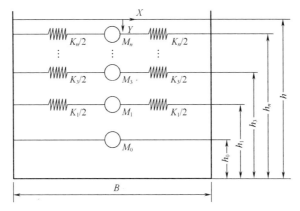

图 3 Housner 模型计算动水质量示意图

该部分质量通过弹簧与承船厢连接,其自振频率分别对应于水体的各阶固有频率。根据计算分析可以看出,对于较高的振型,等效质量衰减很快,实际工程计算中,取 1 阶对流谐振力即可取得满意的结果。第一阶对流谐振力等效质量距离承船厢底部高度 h_1 计算如下:

$$h_1 = h\left(1 - \frac{1}{\sqrt{10}\dfrac{h}{B}\tanh\sqrt{10}\dfrac{h}{B}}\right) \tag{8}$$

在竖向地震作用下,槽底法向的附加质量可只计脉冲动水压力部分,公式为:

$$M_y = 0.8\rho_w h \tag{9}$$

式中:ρ_w ——水的密度(kg/m³);

M_y ——槽底法向附加水体质量(kg)。

5.4.4 考虑到平衡重块竖向悬吊于承重结构顶部,水平向与承重结构有连接时,比较准确的计算应根据其连接构件的刚度考虑平衡重与承重结构的动力相互作用。简化动力分析时,可取 30% 的平衡重质量附加于承重结构上。对三峡、向家坝升船机进行的模型试验表明,这样处理与试验结果比较相符。

6 金属结构和机械设备设计

6.1 一般规定

6.1.1 本条规定了升船机金属结构、机械设备的设计范围,以及升船机金属结构与机械设备的主要构成。

6.1.2 本条规定了升船机金属结构、机械设备布置与选型的基本要求。

6.1.4 本条是综合考虑升船机安全性和经济性的设计规定。正常工况和非正常工况是升船机设计应考虑的基本工况。特殊工况应根据升船机安全等级、工程具体情况和用户要求酌情采用。其中正常工况是指升船机正常运行的工况和检修工况;非正常工况包括设计应考虑的可能出现的故障工况、事故工况以及非正常自然条件和运行条件引起的偶然工况;特殊工况是指出现概率很小的工况,且需根据工程具体情况及特殊使用要求确定。

6.1.5 升船机安全等级的划分及规定,既要保证通航安全,又要客观地考虑技术经济指标,达到安全、科学、合理的目的。

6.1.6 本条规定了升船机金属结构、机械设备设计计算的基本内容。

6.1.7 金属结构及机械设备的设计限参考了德国DIN19704标准的相关规定制定。目前各升船机工作小时为隔河岩升船机330×22h、高坝洲升船机325×22h、彭水升船机325×22h、三峡升船机335×22h、向家坝升船机330×22h、岩滩325×22h、亭子口升船机330×22h,基本与本规范规定的一致。

6.1.8 承船厢及平衡重系统与升船机承重结构之间有相对运动的耦合关系,基本地震烈度6度以上的地震荷载对耦合结构的应力与变形有较大影响,设计中应予以考虑,并采取相应的结构措施。

6.1.9 齿轮齿条型式的升船机塔柱结构的变形对升船机承船厢的升降、设备的运行以及安全保障机构的地震安全具有重要影响。考虑计算模型的差别、计算参数的不确定性等复杂因数,对计算的动位移应乘以放大系数1.5,以留有足够的安全裕度。对于相对变形来说,假设相同高程所有的点在地震荷载作用下具有几乎相同的位移,但两点之间的相对变形还应考虑10mm的变形偏差。

6.1.10 承船厢与承船车的额定升降速度与升船机的提升高度、设计通过能力等因素有密切关系。本规范推荐全平衡式垂直升船机采用0.15m/s～0.25m/s,是根据国内已建成的几座升船机所采用值为基础,经适当延伸后的值。当提升高度很大,运量很大时宜采用大值。在满足运量要求的情况下,应尽量采用低值。斜面升船机承船车运行平稳性受轨道长度及其安装质量的影响不如垂直升船机。在湿运的情况下,承船车速度的变化或振动将会引起厢内水体的震荡。特别是过快的运行速度将会导致承船厢产生较大的惯性,在实施机械制动时带来安全的隐患。丹江口150t级斜面升船机速度为30m/min。基于运行安全方面的考虑,正在建设中的300t级的斜面升船机的牵引速度改为了18m/min。

6.2 闸首金属结构和机械设备

6.2.1 由于升船机闸首闸门宽度与高度的比值较大,为确保闸门启闭过程中保持水平状态,一般均采用双吊点启闭。对于固定卷扬式启闭机和移动式启闭机,双吊点之间应设机械同步轴;对于液压启闭机,应在液压系统中设同步控制回路。

6.2.2 下沉式平面闸门一般采用固定卷扬式启闭机或液压启闭机启闭,尽管可以通过固定卷扬式启闭机的制动器或液压启闭机的液压回路实现启闭机自身的锁定,但为提高闸门工作状态的安全可靠性,并可在闸门处于挡水状态下对启闭机进行检修维护,特要求在闸门上同时设置机械式锁定装置。目前,国内已建升船机下沉门上采用的机械式锁定装置有通过摆臂将闸门结构锁定于门槽埋件和通过插板将闸门吊杆锁定于机架的两种形式。由于提升式平面闸门开启后将位于航槽上方,对过往船舶形成潜在危险,因此规定应在闸门的全开位置设置机械式锁定装置。目前,国内已建升船机提升式平面闸门上采用的机械式锁定装置有机械抓梁的挂脱自如式和摆动挂钩式。

6.2.3 本条说明如下:

2 确定下沉式平面闸门的卧倒小门可适应的水位变幅值时,考虑的因素包括航道的水位变率、最大通航水位变幅以及承船厢设计水深等,其中水位变率是关键因素,可适应的水位变幅值应大于承船厢对接时段内的航道最大水位变幅。当下沉式平面闸门设有有级机械锁定时,可适应的水位变幅还应与锁定间距相匹配。门顶富裕高度的选取与航道水位变率、浪涌高度等相关,一般门顶富裕高度取 0.5m～1.5m。对于水位变率较快、浪涌高度较大的,应在本条的规定值范围内取较大值。

3 当升船机上闸首工作闸门采用提升式平面闸门与叠梁门组合形式时,较小的水位变幅由卧倒小门的富裕挡水高度适应,当水位超出卧倒小门可适应的水位条件时,需通过增加或减少一节工作叠梁门适应,因此,卧倒小门槛上高度至少需大于一节叠梁高度＋承船厢设计水深。因该门型仅用于上闸首工作闸门,上游水库的水位变率相对较小,门顶富裕高度对主要用于承挡浪涌,为尽量减小闸门规模,门顶富裕高度的取值可略小于下闸首工作闸门。

当上闸首工作闸门采用提升式平面闸门与叠梁门组合形式时,承船厢只能与提升式平面大门对接,为使平面大门的总高度较小,对接密封机构一般设在承船厢上,卧倒小门门槛以下至平面大门底部的高度应不小于一节叠梁高度＋间隙密封对接高度＋门底富裕高度的尺寸条件。若平面大门形们体结构的下部空间尺寸不能满足根据卧倒小门启闭机工作行程设计的油缸外形长度布置需要时,需适当加大门底富裕高度。

6.2.4 工作叠梁门的数量应适当,过多时将造成闸门调整频繁,影响升船机的通过能力,过少则会加大工作大门和叠梁门的设备规模,将加大设备制造、安装难度。最终确定单节叠梁门高度时,应综合考虑航道最大通航水位变幅、闸门规模、设备制造、运输、安装条件等因素,高度值宜取 2m～4m。

6.2.5 根据升船机工程运行条件,承船厢与闸首对接所需的间隙密封机构可设在承船厢上,亦可设在闸首上。对于工作闸门采用提升门,且间隙密封机构设在承船厢上的,间隙密封的止水座板应设在闸首上;对于工作闸门采用下沉门或叠梁门与提升式平面闸门组合形式,且间隙密封机构设在承船厢上的,则需在平面大门的背水面设止水座板。止水座板的尺寸应满足在卧倒小门可适应的水位变幅内承船厢与闸首对接的需要。

6.2.6 当闸首工作闸门采用提升式平面闸门时,将闸门的止水布置在闸门的背水侧,以尽量减少承船厢间隙水体体积、缩短间隙充泄水时间、提高升船机通航效率。

同样,当闸首工作闸门采用下沉式平面闸门或采用提升式平面闸门与叠梁门组合形式时,由于平面大门的背水侧已设置了面板,因此间隙密封的止水一般应设在背水侧。下沉时工作闸门调整门位时,将在带水压条件下操作,调整过程将会造成止水橡皮的磨损,为确保止水可靠,一般应设置两道止水。在不同水位条件下,下沉门的挡水水头是不同的,闸门结构变形将随挡水水头的变化而改变。此外,承船厢与闸门对接前后的闸门受力条件不同,闸门的变形也会发生变化。闸门止水设计需考虑闸门结构变形的影响,确保在最不利变形条件下,止水仍具有可靠的密封效果。根据国内已建和在建升船机工程的实践经验,下沉门止水可采用弹性支架式或主动充压式。

6.2.7 平面大门 U 形门体结构的主梁刚度对大门的整体变形有直接影响,较大的主梁刚度可有效减小闸门的整体变形值,有利于保证闸门止水的封水效果,同时还可降低间隙密封机构的设计难度。根据已建升船机工程经验，主梁最大挠度不宜大于跨度的1/1500。

带卧倒小门的下沉式平面闸门和提升式平面闸门，既需满足航槽的孔口尺寸条件、航道水位变化条件，同时还需满足与承船厢的对接条件，一般其U形门体的结构尺寸均相对较大，采用整体制造、运输与安装的难度很大，为此，需将U形门体的结构分节制造、运输，现场拼装成整体。设计时可将U形门体的两侧边柱单独分节，边柱与底部结构之间采用高强螺栓和剪力螺栓连接，底部结构则根据主梁的设置情况以及总高度条件，可单独作为一节或按照主梁的分布沿高度分节，分节之间采用焊接连接。

6.2.8 对于大、中型升船机，卧倒小门的宽度相对较大，应采用双驱动点液压启闭机启闭，为保证卧倒小门启闭过程中两驱动点同步，避免不同步误差造成卧倒小门结构内力而产生扭曲变形，两驱动点之间应采取有效的液压同步技术措施。根据工程实践经验，若采用通过行程检测随时调节启闭机运行速度的方式，因不能完全消除两驱动之间的同步误差，该同步控制方式仅能减小同步误差对卧倒小门结构的不利影响；比较理想且技术简单的同步方案，是充分利用卧倒小门的刚度，将两驱动点启闭机的油路相连通，使两驱动点的启闭力相同，可彻底消除不同步误差。

按照卧倒小门的运行条件，在正常挡水状态下卧倒小门止水受压，可保证止水效果，卧倒小门无须锁定。设置卧倒小门锁定装置的目的，主要用于满足闸门或卧倒小门启闭机检修以及提升式平面大门在调整门位过程中的安全需要。卧倒小门锁定装置应设在最高挡水水面以上。

卧倒小门在接近全关位置的运行速度对闸首卧倒小门与承船厢工作闸门之间的水力学条件和卧倒小门的启闭力有很大影响。开、关速度较快时，由于两门之间的水体不能及时补、排，将有较大下降或涌高。在进行卧倒小门启闭机液压控制回路设计时，应尽量采取有效措施，降低卧倒小门在接近全关位阶段的启、闭速度。

6.2.9 泄水系统用于泄掉上闸首工作闸门与检修闸门之间的水体,使工作闸门处于无水状态,以便于工作闸门的检修或调整门位。泄水系统宜并行设置两线,两线按同时运行设计,当一线的设备出现故障时,两线可互为备用。泄水系统应尽量采用明管,但不可避免地会有部分埋管位于闸墙内,为确保设备使用寿命和运行安全,钢管壁厚的确定应充分考虑泥沙磨损、锈蚀等不利因素的影响,留有足够的安全裕度。

建在高水头电站上的升船机,其泄水系统的工作水头较大,若不采取工程或技术措施,泄水系统的出口流速将超出允许值,为此,需要在系统内设置具有消能性能的工作阀门,一般可选用中空喷射阀或活塞阀。

6.3 承船厢与承船车结构

6.3.1 本条提出了承船厢结构尺寸确定的原则要求,强调了承船厢结构尺寸确定除要考虑通航运行功能要求外,还应考虑安装、检修等的需要。

6.3.2 荷载与工况分析是升船机承船厢设计的关键。国外对升船机的设计研究历史悠久,荷载与工况确定较细且内容多。虽然我国对升船机的设计研究起步较晚,但近三十年来也陆续建造了一批升船机工程,积累了一定经验,本条是根据我国对升船机承船厢的设计实践经验,列出了主要荷载与工况,但并不包括全部。

升船机设计是否考虑地震作用与工程所在区的地震烈度密切相关。地震烈度7度~9度区域的升船机工程,设计时需考虑地震力的影响。鉴于地震工况不是所有升船机的承船厢设计必须考虑的工况,荷载与工况表将地震工况作为特殊工况,应按照相关规定选择确定。

承船厢内沉船工况是一个小概率事件特殊工况,过去国内升船机承船厢设计一般不考虑该工况。目前,国内升船机在设计中已开始考虑沉船工况,但沉船荷载应如何选取是值得商榷的,必要时应进行专题研究。

6.3.3 钢丝绳卷扬提升式升船机的承船厢宜采用承载结构与盛水结构合为一体的自承载式。自承载式承船厢主体结构在我国已有较多的工程应用经验,因而推荐优先采用。托架式在德国有成功应用经验,但国内工程尚未有实际应用。自承载式承船厢宜采用主纵梁和若干主横梁为主要受力构件的焊接结构。承船厢结构设计应考虑制造、运输和安装的要求。

6.3.4 承船厢结构形式有自承载式结构和托架式结构两类。自承载式结构代表工程有比利时斯特勒比全平衡式垂直升船机,托架式结构代表工程有德国吕内堡齿轮齿梯爬升式升船机承船厢。我国在20世纪90年代后陆续建成了几座大型升船机,承船厢形式均为自承载式,包括正在建造的三峡升船机承船厢也为自承载式结构。

6.3.5 本条规定了许用应力的确定方式。考虑到材料生产工艺的不稳定因素可导致材料的实际许用应力有稍许差异。为工程安全起见,规定了大中型升船机承船厢材料许用应力调整系数为0.85,小型升船机的为0.90。

6.3.6 承船厢结构和受力复杂,为保证承船厢的安全运行,在进行二维简化计算的前提下,还应对承船厢整体进行有限元分析计算。通过有限元分析可更准确地了解承船厢结构的受力状况。但计算时应注意边界条件的处理。

6.3.8 现行国家标准《民用建筑设计通则》GB 50352中规定了,建筑物临空高度大于24m时,栏杆高度不应低于1.1m。垂直升船机通常的提升高度较高,在我国已建的升船机中,隔河岩一级升船机也达到了42m,在建的三峡升船机提升高度为113m。参考现行国家标准《民用建筑设计通则》GB 50352,要求升船机承船厢的护栏高度不应低于1.1m。

系船柱系缆力与通航船舶吨位直接相关。中国船级社发布的《钢质内河船舶建造规范》(2016)中仅规定了不同吨位船舶配置的系缆绳尺度。系船柱系缆力尚需根据缆绳破坏强度和安全系数计算确定。对排水量为500t及以上船舶系缆绳的安全系数可取4.0。50t及以下船舶允许系缆力的安全系数取为8.0,而500t～50t船舶的安全系数定在4.0～8.0之间线性变化。表6.3.8中所列允许系缆力数值是根据上述原则计算所得,允许纵向水平分力及横向水平分力则是假定缆绳与升船机纵轴线夹角为30°情况下得到的,横向水平分力取为纵向水平分力的一半,略小于实际分力值。

6.3.9 由于下水式垂直升船机的承船厢下水后有排水的需要,承船厢底部应布置成左右对称倾斜的体型。考虑承船厢底部的倾斜角度过大对承船厢的有效水域有影响,已建下水式垂直升船机的承船厢底部通常倾斜度为1:30。

6.3.10 本规范所涉及的斜面升船机承船车为下水式的形式。纵、横梁采用实腹结构可减小承船车入水后的浮力对运行的影响。

6.3.11 干运斜面升船机承船车底铺板上铺设枕垫是为保护承船车底铺板和船只底壳表面,避免硬碰硬接触,增加底部摩擦力,防止船只滑移。枕垫可以是橡胶,也可以是木块。当采用木块枕垫时,木块应固定在承船车底铺板上。

6.3.12 本条是参照国内已建工程经验编写的,国内已建与在建的升船机干舷高的设计值如表4所示。

表4 国内外已建升船机工程承船厢干舷高一览表

工程名称	隔河岩一级、二级	高坝洲	岩滩	彭水	水口	三峡	向家坝	新尼德芬诺
干舷高值(m)	0.6	0.7	0.6	0.7	0.8	0.8	0.8	1.0

6.4 主提升机和牵引绞车

6.4.1 本条界定了主提升机和牵引绞车的组成。对于下水式垂直升船机主提升机,可不设置滑轮组。

6.4.2 本条规定了主提升机和牵引绞车的工况和荷载。荷载的计算一方面基于针对具体结构的力学分析,另一方面可遵循现有的专业规范,如现行国家标准《起重机设计规范》GB/T 3811。机构惯性力由于未作用于主提升机和牵引绞车低速级,不便于与其他荷载直接叠加,因此不计入额定提升力中,这样便于不同参数和不同构件的计算根据实际情况有所区分。

目前已建或在建全平衡钢丝绳卷扬升船机的额定提升力均按最大允许误载水深计算,并考虑表 D.0.2-1 和表 D.0.2-3 的其他相关荷载;对于下水式垂直升船机,主提升机的特征之一是空气中的提升力远大于同规模全平衡升船机的提升荷载,特征之二是每一个运行循环均发生一次水下短时尖峰负荷。根据上述特点,考虑到低速级齿轮副的弯曲疲劳强度是制约下水式升船机主提升机设计的关键因素,本规范对于下水式升船机主提升机以减速器低速级驱动齿轮的等效弯曲疲劳荷载作为额定提升力,该荷载根据主提升机在承船厢一次工作循环中水上运行和水下运行两个过程的最大荷载以及相应的驱动齿轮的循环次数,按疲劳累计损伤理论计算。承船厢一次工作循环中水上运行和水下运行两个过程的最大荷载则按表 D.0.2-2 的相关荷载进行组合计算。

对于双坡式斜面升船机,承船车在过驼峰时牵引绞车存在换向冲击,此外斜面升船机运行平稳程度不如垂直升船机,因此应考虑适当的冲击系数。

6.4.3 在垂直升船机中,考虑一台电动机或电气传动系统失效,其余电动机驱动承船厢继续运行,是出于安全考虑,避免承船厢长时间悬吊在承船厢室半空中。对于斜面升船机的牵引绞车,电动机数目较少,考虑一台电动机失效继续运行既不经济,也无必要,因为当电动机发生故障时,承船车停留在斜坡道是比较安全的,不需要在电动机故障下继续运行。主提升机如果发生两台电动机同时失效的故障,可根据设备实际能力采用承船厢向轻载方向运行及利用电动机过载能力使承船厢回到对接位置。

6.4.4 现行行业标准《水利水电工程启闭机设计规范》SL 41 规

定,对于高速轴上的零件按电动机额定力矩的 1.3 倍～1.4 倍作为计算依据。对于斜面升船机牵引绞车,电动机额定功率按额定提升力计算,高速轴的计算原则与启闭机相同。钢丝绳卷扬式垂直升船机的主提升机,由于电动机功率的计算已经考虑了一台电动机失效的情况,相对于正常运行的额定荷载,电动机功率有一定富裕,因此其系数有所降低,但实际荷载标准仍等同于(对 8 台电动机)或略高于(对 4 台电动机)启闭机的高速轴零部件荷载标准。非高速级的传动部件的疲劳计算荷载按额定提升力并考虑荷载不均系数,则是考虑主提升机和牵引绞车的荷载特点和运行可靠度要求。

6.4.5 开式齿轮接触强度的安全系数符合现行国家标准《渐开线圆柱齿轮承载能力计算方法》GB/T 3480—1997 附录 A 中的一般可靠度,其余强度的安全系数符合较高可靠度,这与升船机对减速器和开式齿轮的可靠度要求是相符的。综合考虑已建或在建升船机的荷载与安全系数,本规定与大多数升船机齿轮的实际承载能力是相符的。

6.4.6 闭式传动齿轮的工作条件较好,有利于保证机械传动设备的寿命和运行人员安全。齿轮精度等级的确定基于已建或在建升船机的设计经验,其减速器采用硬齿面齿轮,其精度按照现行国家标准《圆柱齿轮 精度 第 1 部分:轮齿同侧齿面偏差的定义和允许值》GB/T 10095.1 规定确定的。

6.4.7 各主提升机和牵引绞车(或卷扬机)采用同步轴系统实现机械同步,是垂直升船机避免承船厢倾斜、保证升船机在一台电动机故障时到达对接位置的重要安全技术措施,为国内外大中型升船机普遍采用。斜面升船机由于牵引绞车布置的特点,采用开式齿轮及惰轮啮合的方式简单易行。

同步轴系统在升船机正常运行过程中在理想情况下不存在内力矩。但由于各主提升机和牵引绞车外载及电动机出力不均匀,加之动力影响,在设计中仍需考虑一定的扭矩。由于构成同步轴荷载的因素复杂，难以进行准确的理论分析，因此同步轴的疲劳强度和静强度按偏于安全的荷载假定进行。机械同步轴系统的水平变位值根据土建专业的相关计算确定，一般通过联轴器的轴向间隙或轴向可移动万向联轴节来适应。

6.4.8 同步轴系统应设置扭矩传感器监测同步轴内扭矩，是升船机运行的安全措施。主提升机同步轴系统距地面的高度远大于人体高度一般，因此有必要设置检修走道和楼梯。

6.4.9 本条规定是为了使钢丝绳在卷筒上的缠绕结构尽量简单，从而保证运行可靠性。安全圈的规定是基于已建或在建升船机的设计经验。

6.4.10 本条对主提升机和牵引绞车卷筒组的荷载进行了规定。在卷筒组所受的荷载中，转矩平衡绳的拉力、制动器荷载和设备自重对于同一主提升机都是相同的，提升绳的拉力在误载水深为零时由于已经在调试阶段初始均衡，可认为相等。当有误载水深时，所产生的不平衡力由于承船厢悬吊的超静定性质，会在各提升绳之间不均匀地分配，不均匀系数对于正常工况偏安全考虑取较大值，对非正常工况和特殊工况下，由于发生概率较小，考虑取较小值。对于牵引绞车，由于承船厢横向刚度很大，因此钢丝绳拉力不均匀性较小，因此不均匀系数取较小值。

6.4.11 主提升机卷筒直径较大，可靠性要求高，采用焊接结构，可减轻重量，减小安装运输难度。由于卷筒是转动件，为保证卷筒的疲劳强度，一般不在筒体内壁设支承环，以免产生应力集中。卷筒一般属超大件，壁厚较大，且可靠性要求高，又是转动部件，因此正常工况和事故工况许用静应力宜取较低值。筒体受压稳定性计算可按圆柱壳壳体表面受均匀外压的稳定性理论进行计算。

卷筒轴为转轴，既承受由钢丝绳拉力和卷筒自重引起的弯曲应力，又传递减速器的扭矩，弯曲应力具有对称循环的特点，扭转应力具有脉动循环的特点。由于卷筒缺乏现场检修条件，可靠性要求高，因此轴的疲劳安全系数偏高取值。轴的挠度略小于现行行业标准《水利水电工程启闭机设计规范》SL 41中对卷筒轴的挠度要求3/10000。

6.4.12 目前钢丝绳卷扬升船机均采用压板螺栓进行固定。升船机提升绳张力很大，即使经安全圈减载后，通常每根钢丝绳仍需8个~10个压板将绳尾固定。考虑到升船机的安全性要求及单根钢丝绳多压板固定的特点，钢丝绳与绳槽和压板槽的摩擦系数取较低值，安全系数则与现行行业标准《水利水电工程启闭机设计规范》SL 41的要求是一致的。

6.4.13 液压盘式制动器易实现调压上闸的功能，且具有惯性小、结构紧凑简单等优点。升船机系统的惯性较大，主传动系统失效时，一般由主提升机工作制动器进行制动。为控制制动加速度，避免紧急制动对主提升机和牵引绞车的冲击与损伤，工作制动器应采用调压上闸，额定制动力只是在系统静止之后才施加，因此不会在制动过程中产生大的惯性力，这样工作制动器的安全系数可高于一般起重机及启闭机设计中的取值。这种设计方法在我国钢丝绳卷扬升船机及斜面升船机中得到普遍应用。对于钢丝绳卷扬升船机和斜面升船机，安全制动器一般布置在卷筒端部的制动盘上，可保护传动设备。同时安全制动器按可能出现的最大荷载设计，以发挥安全制动器的安全保护功能。当发生机械故障及承船厢漏水事故时，为保护主提升机或牵引绞车设备，一般安全制动器上闸先于工作制动器上闸。为避免冲击，宜采用分级上闸。

6.4.14 工作制动器和安全制动器及液压泵站作为安全制动系统这一有机的整体参与升船机的正常运行和事故控制，对运行的可靠性和功能的完备性有较高的要求，同时对制动器上闸的同时性有较高的要求。采用液压泵站集中控制有利于保证安全制动系统的可靠性和性能要求。设置上闸和松闸到位检测装置是保证安全制动系统正常工作的基本措施。

6.4.16 本条为特殊级全平衡钢丝绳卷扬式垂直升船机水漏空事故设防的要求。安全制动器的有效制动力为转矩平衡重的重力和可控平衡重的重力。

6.4.17 升船机承船厢与平衡重的钢丝绳支撑滑轮属于大型滑轮结构，宜采用有限元计算。此外由于升船机布置条件的限制，滑轮结构具有直径大、宽度窄的特点，需对结构稳定性进行有限元论证。当滑轮组最外侧钢丝绳断裂时，由于平衡重组安全梁的杠杆作用，与断裂钢丝绳相邻的钢丝绳荷载最大。

6.5 驱动系统和安全机构

6.5.1 本条界定了驱动系统的范围和组成。驱动系统驱动齿轮是指齿轮齿条爬升式升船机中与齿条啮合驱动承船厢升降运行的开式齿轮。

6.5.2 齿轮齿条爬升式垂直升船机安装在承船厢上，不承受承船厢总重和平衡重总重，仅在设备能力允许的条件下承受承船厢的不平衡力。这是齿轮齿条爬升式垂直升船机驱动系统荷载与钢丝绳卷扬提升式垂直升船机的区别。驱动齿轮极限荷载发生在表D.0.2-3中使驱动系统运行超载的工况，如水漏空等，且一旦齿轮荷载达到该值，便不会继续增加，而该值是由设计设定的，在该荷载状态下驱动系统处于静止状态，所以除设备重力外，该荷载不再与任何其他荷载叠加。

6.5.3 为安全起见，驱动系统设置了机械过载保护装置，当驱动系统超载到一定程度时该装置应自动发令停机，以保护设备。当荷载继续增加时，应将荷载柔性平稳地传至安全机构。驱动系统的驱动齿轮托架机构设置了液气弹簧油缸，以满足柔性传递荷载的需要。为避免液气弹簧油缸在驱动系统尚未停止运动时动作，应在驱动齿轮荷载继续增加一定值后液气弹簧油缸开始动作。

6.5.4 出于运行安全考虑，对于垂直升船机，应避免在发生故障时承船厢长时间悬吊在承船厢室的半空中，为此通常要求一台电动机或电气传动系统故障，其余电动机仍可驱动承船厢继续完成本次运行。但是，发生主提升机两台电动机同时失效的双重故障，则不宜再考虑。也有工程考虑在发生上述双重故障时,将承船厢向轻载方向运行或利用电动机过载能力使承船厢回到对接位置等应急措施。

6.5.5 驱动系统除驱动齿轮托架之外的传动零部件与本规范第6.4.4条中主提升机传动零部件疲劳强度计算荷载标准是相同的。因为每套驱动机构只有一套驱动齿轮托架,其荷载均匀性较减速器好。另外,根据三峡升船机和向家坝升船机的设计经验,偏于保守的荷载条件和承载能力要求有可能影响设备布置及驱动齿轮和齿条制造的可行性,因此驱动齿轮托架疲劳强度的荷载标准略低于其他传动部件疲劳计算的荷载标准。另外,驱动系统的最大荷载为驱动齿轮极限荷载,应以此计算驱动系统的静强度,这也是与主提升机不同的地方。

6.5.6 在三峡升船机和向家坝升船机的设计中,驱动齿轮和齿条最小弯曲强度安全系数为2,接触强度最小安全系数为1.1,但疲劳强度计算所取荷载为弯曲疲劳等效计算荷载和接触疲劳等效计算荷载,这些荷载按照5cm误载水深出现概率为80%、10cm误载水深出现概率为20%的假定计算,其中驱动齿轮和齿条因材料不同弯曲疲劳等效计算荷载还略有不同,但大致为按10cm误载水深计算的额定提升力的80%左右。本规范考虑到不同工程水位变率不一样,且难以获得准确的误载水深相关统计资料,因此以额定提升力作为驱动齿轮与齿条的计算荷载,设计概念更加明确,也便于在运行中最大程度地利用额定提升力。驱动齿轮和齿条的弯曲强度安全系数应按现行国家标准《渐开线圆柱齿轮承载能力计算方法》GB/T 3480—1997附录A"最小安全系数参考值"中的较高可靠度标准取值1.6,接触强度安全系数按一般可靠度标准取值1.1。因此综合考虑荷载和安全系数,本规范对驱动齿轮和齿条承载能力的规定,弯曲疲劳强度和静接触强度与三峡升船机和向家坝升船机是一致的;弯曲静强度要求略低,但就其荷载而言,一般不是设计控制条件;接触疲劳强度要求则略高。

6.5.7 驱动齿轮和齿条的精度受齿条的制约。齿条一般采用调质钢感应淬火处理，感应淬火后硬度较高，加工难度大，因此不宜过高地规定驱动齿轮和齿条的精度等级。三峡升船机驱动齿轮和齿条的精度等级为 DIN 标准的 10a27，驱动齿轮与齿条的精度等级则为现行国家标准《渐开线圆柱齿轮精度 第 1 部分：轮齿同侧齿面偏差的定义和允许值》GB/T 10095.1 规定的 9 级。由于齿条安装在塔柱结构上，万一发生损伤，维修和更换较为困难，因此对材料的质量要求较高，以保证较高可靠度。

6.5.8 齿轮爬升式升船机由于驱动机构驱动齿轮安装在承船厢上，与之啮合的齿条安装在塔柱结构上，承船厢结构和塔柱结构均会受载变形，因此驱动机构的布置和结构适应承船厢和塔柱相对变位，使驱动齿轮和齿条按照设计给定的精度啮合，是齿轮爬升式升船机驱动系统设计的关键问题。解决的方法就是设置驱动齿轮托架。此外驱动齿轮托架还应根据升船机的运行及安全要求，具备传递、限制和卸除驱动荷载的功能。

6.5.9 驱动系统工作制动器的功能要求与安装部位与主提升机相同。安全制动器由于布置的限制难以布置在低速轴，通常也布置在高速轴，其作用是增加制动的安全性，而不具备主提升机安全制动器保护设备的功能，因此仅在驱动系统停机后上闸，可不作分级上闸要求，安全制动器的荷载为驱动系统的极限荷载。结构形式和安全系数则与主提升机安全制动器一致。

6.5.10 由于驱动系统设置在承船厢上，因此不必如主提升机同步轴系统适应塔柱相对变位，但仍需适应承船厢结构的变形和设备的安装误差。齿轮齿条爬升式升船机的水平机械同步轴设置在承船厢的底部，从巡视、维护方便考虑，需设置检修维护走道。

6.5.11 齿条是驱动系统传动设备的重要组成部分，由于装设在塔柱上，因此齿条及其支承结构的设计，既要保证向塔柱传力的可靠性，又要便于保证运行所要求的安装精度。每根齿条由较多的单节齿条组成，控制齿条节间节距偏差是保证升船机运行可靠的基本要求,应予以重视。

6.5.12 要求"与安全机构相连的驱动系统减速器输出轴与减速器低速轴转速应相差整数倍"是为了消除该传动部分的传动比累计误差,控制安全机构旋转螺杆和螺母柱的螺牙间隙。在驱动机构和安全机构之间设置扭矩检测装置是为了避免安全机构摩擦扭矩因润滑不良、螺牙间隙消失等原因增大而损坏驱动系统。要求安全机构适应塔柱和承船厢之间的相对变位是因为与安全机构配合使用的螺母柱安装在塔柱结构上。

6.5.13 承船厢水体全排空对应于安全机构撑杆受拉状态,既是一种可能发生的事故工况,也是承船厢检修需考虑的工况。水满厢和沉船工况对应于安全机构撑杆受拉状态,可选两者中荷载较大的工况进行计算。承船厢室进水后承船厢被淹以及平衡重井进水后平衡重被淹的特殊工况可根据船舶的类型及用户的要求等因素予以考虑。

6.5.14 安全机构的受力撑杆是其传力的关键构件,考虑到其重要性,受压撑杆按承船厢特殊工况条件进行稳定性校核。根据三峡升船机和向家坝升船机的设计经验,安全机构受力撑杆应按弹塑性范围计算。按照机械工业出版社 2000 年出版的《机械设计手册》第 4 篇"机械力学基础"第五章"构件的稳定性",对于压杆采用安全系数法,安全系数按表 4.5-10"中心压杆的规定稳定安全系数"取值。

6.5.15 增加螺纹圈数即增加了螺牙承载长度。考虑到制造及安装误差,为安全起见,不应考虑所有螺杆的螺纹同时承载。

6.5.16 齿轮齿条爬升式升船机是靠安全螺杆和螺母柱的螺纹自锁作为安全机构可靠承载的必要条件。当承船厢出现漏水等事故时,安全机构将对其进行保护,以确保承船厢不发生失衡。此时巨大的不平衡事故载荷是通过螺母柱与旋转螺杆螺纹副的斜面向基础传递。当最大螺纹升角大于螺纹副螺牙材料的自锁角时,由竖直载荷引起的沿斜面分力大于螺纹副之间的摩擦力,安全机构螺纹副之间的摩擦力不足以使全部外载荷通过螺纹副传递到基础，而有部分载荷形成对万向联轴节等传动部件的扭矩，造成该部件的破坏。从而使安全机构最终失去对事故载荷的传递能力。因此设计时应校核螺母柱和旋转螺杆的最大螺纹升角，且必须保证小于螺牙材料的自锁角。

本条文是强制性条文，必须严格执行。

6.5.17 由于安装和制造误差等原因，4套安全机构同时受力时不均匀性是客观存在的，应予以考虑。鉴于安全机构的额定荷载发生在极端工况，因此不均匀系数不必取较大值。对于同一套安全机构的螺母柱的两片也是如此。

6.5.18 安全机构仅在事故工况受力，因此仅校核静强度。在考虑了一定的荷载不均系数后，在极端工况下可取较高的许用应力。

6.5.19 保证安全机构螺杆和螺母柱的螺纹副间隙是齿轮齿条爬升式升船机安全运行的基本条件，应予以充分的重视。

6.5.20 当事故荷载发生在螺母柱节间时，应保证螺牙的均匀受力条件，避免发生塑性变形。

6.6 平衡重系统

6.6.1 本条界定了平衡重系统的范围和组成。

6.6.2 为保证升船机安全性，当一根钢丝绳断裂时，该钢丝绳悬吊的平衡重块应支承在安全梁或安全框架上，由该安全梁或安全框架所在平衡重组的其他钢丝绳分担该平衡重块的重量，使得平衡重总重量不改变。一般说来，钢丝绳卷扬式升船机平衡重系统多采用安全梁；齿轮爬升式升船机平衡重系统采用安全框架。

6.6.3 承船厢结构和设备的众多焊接结构和铸造部件，以及涂装穿衣的材料重量很难准确计算确定。因而，平衡重系统要设置调整平衡重块。根据过去的经验，平衡重块总重可先按97%的承船厢总重制造，另按承船厢总重的5%配置调整平衡重块。在升船机安装时根据承船厢实际重量配置所需的调整平衡重块，以使平衡重和承船厢达到平衡。

6.6.4 目前平衡链有钢板销轴式和钢丝绳悬吊重块式两种结构形式,前者仅在三峡升船机中应用,造价很高;后者在我国其他升船机中应用,经济性好,总体满足功能要求。为避免平衡链沿高程方向发生扭转,应采用预拉伸抗旋转交互捻钢丝绳,且同一条平衡链的两根钢丝绳应旋向相反。

6.6.5 升船机运行时,悬吊在卷筒与滑轮两侧的承船厢和平衡重在做反向运动,分配在卷筒与滑轮两侧钢丝绳的重量也随承船厢和平衡重的运行而改变。当升船机提升高度较大时,钢丝绳的不平衡重量会明显加大主提升机或驱动系统的提升荷载。设置平衡链可抵消承船厢侧和平衡重侧由于钢丝绳长度变化引起的不平衡力,减少主提升机或驱动系统的额定提升力和驱动功率。此外,平衡链导向装置的作用是使平衡链保持平稳状态,避免横向摆动。

6.6.6 本条规定是为了使重力平衡钢丝绳的受力明确,保证升船机的安全。

6.6.7 安全框架结构在不同工况条件下的载荷是不同的:正常工况下一般仅承受自身重力和导向轮作用力,钢丝绳断绳事故工况下另外承受断绳悬吊的平衡重块重力,安装、检修工况下承受平衡重组全部平衡重块的重力。

6.6.8 平衡重块的材料容重应满足其外形尺寸的设计要求,其通用采用骨料为铁钢砂高容重混凝土制造,一般混凝土容重达 $3.40 t/m^3 \sim 3.56 t/m^3$。三峡混凝土平衡重块的容重达 $3.40 t/m^3$,德国吕内堡升船机的混凝土平衡重块的容重达 $3.56 t/m^3$。

混凝土平衡重具有较强的吸湿能力,加之平衡重井空气潮湿,混凝土平衡重块受潮将改变平衡重的重量,因此平衡重块的外表面应进行防水、防潮涂装处理。对铸钢和铸铁材料则应进行防锈处理。

6.6.9 调整装置直接承受钢丝绳的拉力,由于事关安全,因此取较高的安全系数。

6.6.10 采用防旋板,钢丝绳左、右旋向间隔配置是为了避免钢丝绳绕自身轴线旋转,从而影响运行安全及钢丝绳的承载能力。

6.6.11 本条是考虑平衡重组的安装和检修要求而制订的。

6.7 承船厢设备

6.7.3 已建升船机所采用的承船厢门锁定装置一般采用液压插销式,为适应因启闭机油缸的泄漏造成锁定销承载的工况,建议将锁定销孔设计成长孔,并且在启闭机开门前先进行小行程开门操作,使可能承载的锁定销卸载。为减小闸门正常运行工况下的启闭力,可在闸门结构内设置适当大小的浮箱。

6.7.4 对接锁定装置说明如下:

1 对于建在水利水电工程上的升船机,航道水位存在一定的变幅和变率,承船厢在与闸首对接期间,承船厢内的水深有可能发生变化,从而造成承船厢水体重量的改变;另外,船只进出承船厢过程中水体的船形波将会造成承船厢荷载分布的改变。为保证对接期间承船厢位置保持不变,须将承船厢沿竖向锁定。由于对接锁定装置的形式需适应上下游航道的水位变幅,因此钢丝绳卷扬提升式垂直升船机对接锁定装置需随停靠位置的变换具有沿程锁定功能。为保证锁定装置受力明确,要求对接锁定装置的构造应避免对接期间承受承船厢的纵向荷载。当钢丝绳卷扬式垂直升船机因发生故障和事故而在升降运行范围的任意高程停机时,对接锁定装置应将承船厢锁定,以保证升船机的安全,因此对接锁定需沿程锁定。对于安全级别为特殊级的全平衡钢丝绳卷扬式垂直升船机,当在升降运行发生承船厢水漏空的事故时,对接锁定装置应与主提升机安全制动系统及其他事故锁定装置一道,承受水漏空引起的不平衡荷载;因此对于安全级别为特殊级的全平衡钢丝绳卷扬垂直升船机,对接锁定装置的设计荷载必要时还需满足水漏空工况的需要。

2 对于齿轮齿条爬升式垂直升船机,对接期间出现较大水位变化时，锁定装置具有超载退让功能，使超出的荷载由安全机构承担，可减小作用于锁定装置的荷载。当承船厢升降运行期间发生包括水漏空在内的超载事故时，驱动机构会自动停机，超出驱动齿轮极限载荷的不平衡力自动转至安全机构承受，因此锁定机构不必具备沿程锁定功能。

3 一般锁定装置均采用液压油缸操作，目前已建升船机中采用较多的是摩擦夹紧式和液压开合旋转螺杆式，工作期间均需要可靠保压，以避免锁定失效，造成承船厢高度位置改变。

6.7.5 顶紧装置说明如下：

1 本款规定了承船厢上顶紧结构荷载的主要构成。承船厢与闸首对接后，间隙水将在承船厢上造成不平衡的纵向水压，另外，间隙密封机构压紧闸首或闸首门工作时，承船厢需承受与上述不平衡水压方向相同的反作用力，此外，对接期间承船厢上还将承受纵向风载、船舶撞击力、船舶系缆力等纵向荷载，为保持承船厢纵向位置，应设置顶紧装置。

2 由于顶紧轨道是安装在混凝土承重结构上的，受若干因素的影响，承船厢与承重结构之间有相对变位，另外，顶紧轨道自身还存在制造、安装误差，在对接高度范围内，顶紧装置应能很好地适应这些变位和误差。由于需由对接锁定装置承受的承船厢竖向附加荷载有可能同时作用于顶紧装置，因此顶紧装置的构造应尽量降低锁定荷载对其产生的不利影响。

3 本款规定了顶紧装置应采用具有自锁功能的机械式结构，不得采用液压油缸直接顶紧方案。这是由于顶紧荷载属于被动荷载，液压油缸难以做到密封绝对可靠，油缸在对接期间出现泄漏后，将会造成承船厢纵向位置改变，从而可能破坏间隙密封的止水效果，大的泄漏甚至会造成承船厢纵向失衡的事故。一般顶紧机构均采用液压油缸操作，作为机械自锁失效的安全保护措施，本款规定了顶紧机构及其液压控制回路必须设置防止自锁失效的安全保护装置。本款为强制性条款，必须严格执行。

6.7.6 间隙密封机构说明如下：

1 一般间隙密封机构设在承船厢上，当闸首工作闸门采用提升式平面闸门或下沉式平面闸门时，隙密封机构也可设在闸首或闸首工作闸门上。本款规定了间隙密封机构应具备的基本性能。

2 间隙密封机构的密封框通常采用U形结构，相对于边长尺寸而言，其断面尺寸较小，整体刚度较小，为保证密封框推出、退回期间整体运动的同步性，本款规定了U形密封框应由多套同步运行的液压油缸驱动。为适应对接期间承船厢与闸首之间的纵向相对变位，规定在各油缸与密封框之间应加设保压机械弹簧。在密封框端面设两道结构形式不同的止水橡皮，可进一步保证间隙密封的止水效果。

6.7.7 防撞装置说明如下：

2 船舶撞击能量计算在没有具体资料的情况下，船舶及其附连水体总质量可按照15%船舶总质量考虑。

3 防撞构件的布置高度不宜过高或过低，设计时应对各种过坝船型的船艏形状、尺寸进行综合分析，确定适宜的高度。根据已建升船机的实践经验，防撞构件通常设置在承船厢设计水位线以上0.5m左右。一般船舶的船艏均有上斜的倾角，船舶撞击防撞装置时，由于该倾角的影响，防撞构件上将会受到船艏向下的压力作用，设计时应对该现象予以注意。

4 防撞装置采用带缓冲油缸的钢丝绳，可将绝大部分船舶动能转化为液压油的热能，尽量不采用钢丝绳直接防撞方案，以避免船舶动能全部转化为钢丝绳的弹性势能，受拉伸后的钢丝绳对船舶造成较大的反弹。要求钢丝绳进行预拉伸处理是使钢丝绳受到撞击后产生的变形全部为可恢复的弹性变形；要求采用镀锌钢丝绳，是为满足防腐需要，尽量延长钢丝绳的使用寿命。

6.7.8 导向装置说明如下：

1 本款规定了升船机承船厢上应设置纵向导向装置和横向导向装置，以及导向装置的布置原则。

2 导向装置采用弹性导轮,可以较好地适应导轨的制造、安装误差和承船厢与承重结构之间的相对变位。

此外,三峡升船机采用了带液压对中功能的导向系统,该导向系统可以很好地适应承船厢与横向轨道之间的横向相对变位,使承船厢升降过程中始终沿两侧轨道的实际对称中心线运行。

6.7.9 钢丝绳张力均衡装置说明如下:

1 利用液压油缸可以方便地均衡各吊点提升钢丝绳的张力,并将承船厢调整为所需的水平状态。但为确保升船机安全,承船厢调平工作均在静止条件下进行。

2 均衡油缸的有效行程应大于提升钢丝绳在最大悬吊长度、额定荷载作用下的弹性变形,以及承船厢调平所必需的工作行程,根据已建工程经验,均衡油缸的有效行程宜大于 500mm。此外,隔河岩、高坝洲、彭水等水利枢纽升船机钢丝绳张力均衡装置,均采用液压油缸形式,且具有静止条件下调平承船厢的功能。

3 采用活塞杆带机械锁紧装置的液压均衡油缸,可以避免因油缸泄漏造成的钢丝绳长度与张力的变化,以及由此可能造成的承船厢倾斜,确保升船机运行安全。由于均衡油缸与提升钢丝绳直接连接,其主要受力构件应具有足够的强度,根据已建升船机经验,其强度安全系数不应小于 3.0。在油缸上应设行程检测装置和压力检测装置主要用于对调整过程中油缸的工作状态。

7 电气系统设计

7.1 一般规定

7.1.1 本条界定了升船机电气系统的设计范围。

7.1.2 升船机电气设计应强调可靠性、先进性和安全性。特别是应根据升船机的通航规模和重要程度恰当地确定电气设计的设备规模、控制功能、性能指标、安全级别等。同时,在电气设备选用上一定要防止那种不从实际出发、不顾运行需求,而一味追求最新技术和设备的倾向,要充分发挥升船机电气设备的投资效益。

7.2 供配电与接地

7.2.1 工业生产用电负荷的等级主要是根据用电负荷对电源可靠性的要求和中断供电在政治、经济上所造成的损失或影响的程度来分类的。基于这一基本原则,同时考虑升船机采用承船厢升降过机通航的航运特点,本条从升船机的吨级、运输繁忙程度和用电设备的重要性等几个方面来确定升船机用电负荷的等级。

根据对国内内河航运情况的调查来看,不论是客运还是货运,300t级船舶的货运量都较大、客运量也较多,事故停电所造成的社会影响和经济损失都很大。另外,根据现行国家标准《内河通航标准》GB 50139 的规定,300t级升船机对应内河Ⅴ级航道,其运输也十分繁忙。因此,本条规定300t级及以上升船机的主要用电负荷为一级负荷。

7.2.3 升船机的过船运行流程是一个典型的顺序控制模式,因此,升船机的运行动力负荷应按照不同类型升船机的具体操作过程及运行情况,选择实际最大运行工况下的所有运行电动机负荷进行计算,而升船机照明及检修等其他用电负荷宜采用需要系数法进行计算。升船机最大运行工况一般出现在升船机承船厢升降运行时。

7.2.4 升船机配电系统电压等级的选择主要取决于当地配电网的电压等级和升船机用电负荷的容量大小。升船机供配电系统高压电力网的配电电压宜采用常规的10kV电压。而升船机终端用电设备的电压等级多为0.4kV。

7.2.5 升船机的承船厢以及需适应升船机上下游水位变化的上闸首工作闸门及下闸首工作闸门等设备为移动设备，对这些用电设备的供电电压和方式，应根据上、下闸首工作闸门的门型、承船厢驱动形式，以及用电设备用电负荷的大小来确定。一般当0.4kV电压可满足供电质量要求时均宜采用0.4kV电压供电。

但当采用10kV电压向承船厢供电时，则须采用10kV专用拖曳式软电缆。

隔河岩、向家坝等升船机的承船厢供电采用的是0.4kV安全滑线供电方案，而三峡升船机承船厢驱动设备安装在承船厢上，对承船厢的供电采用了专用拖曳式（吊挂）10kV软电缆的高压供电方案。

7.2.6 目前已建和在建的垂直升船机多采用四驱动单元方案。为确保对升船机供电的可靠性，通常均采用交叉接线供电。

7.2.7 水电站发电动机组在向电网发送电能时除有有功功率外，还有无功功率。为此，水利水电枢纽内的升船机配电系统不需再配置专用的无功补偿装置。而由电网引接厂用电的航运枢纽内的升船机，由于各种类型的电动机数量较多，其感性负载引起的无功损耗较大，为保证系统内的无功平衡，配电变电所需设置无功补偿装置，以使高压侧的功率因素满足当地供电电网的要求。

7.2.8 本条说明如下：

1 布置于水利水电枢纽内的升船机的接地应与水电站使用同一个共用接地网和接地装置，不宜设置独立接地网和接地装置，以避免雷击或电力系统单相接地短路时，电站接地网与升船机独立接地网间产生危险电位差,给电气传动装置及计算机设备带来危害。

7.3 主电气传动系统

7.3.1 从20世纪80、90年代以来,随着电力半导体器件及微电子器件,特别是计算机及大规模集成电路的发展,再加上现代控制理论向电气传动领域的渗透,使得在原来直流传动系统占主导地位的高精度力矩控制和高精度定位控制的电气传动应用场合,逐步地被高性能交流变频传动系统所取代。针对升船机主传动系统高精度力矩控制和高精度定位控制的技术特点,同时考虑交流变频传动装置技术的发展和成本的降低,原本采用其他类型的电气传动系统均改为交流变频传动。如岩滩升船机、水口升船机和隔河岩一级升船机均采用直流传动,隔河岩第二级升船机则改为采用交流变频传动。此外,之后新建的高坝洲、彭水和三峡等升船机工程均采用了交流变频传动。

交流变频调速装置的功率部分有交-直-交和交-交两种变频结构,交-交变频技术多用于电动机功率大于2MW的场合。对于单电动机功率不大于500kW的升船机,传动变频装置一般采用交-直-交变频。

7.3.2 一台主驱动电动机配置1套交流变频传动装置称之为"一对一"连接方式;"共用直流母线"连接方式是指由1套或2套冗余配置的整流/回馈单元通过共用直流母线给多组"逆变器-电动机"单元供电的接线。这两种方案在技术经济指标上各有优势,对允许故障停机时间较长的升船机或单电动机容量较小的多电动机驱动升船机,可优先考虑共用直流母线方案。反之则应采用可靠性较高的"一对一"连接方案。

7.3.3 承船厢运行是典型的位势性负载。升船机运行中,承船厢的误载水深不同,每次运行的负荷性质也不相同,常会使驱动系统在制动状态下运行。因此,要求交流变频传动系统能在其机械特性的四个象限内稳定运行。

变频调速传动装置的制动运行方式有能耗制动和再生制动两种。两种制动方式的选择应根据承船厢可能的制动运行时间、传动系统的布置条件，以及供电电网的容量、可靠性等的比较来确定。但在电源容量较小的情况下，电压的波动会使逆变失败，不能把再生能量回馈到电网，导致承船厢被拖着自由下滑或上冲，只能通过机械上闸来紧急制动，从而对承船厢驱动机构产生很大冲击危害。因此，对于供电电源取自容量小、可靠性较差的电网时，升船机可采用电阻能耗制动方式。

7.3.4 三相交流异步电动机的变频变压控制技术的种类繁多，目前技术成熟并有定型产品支持的变频变压控制技术主要有：V/F标量控制、带或不带速度反馈的定子电流磁场定向矢量控制、带或不带速度反馈的直接转矩控制等多种技术方案。由于升船机承船厢为多机构同步驱动，要求系统具有高性能的协调控制、高精度随机的"点对点"定位控制和起升"零速满转矩"控制功能，以及调速范围宽、稳速精度要求高等特点，因此，变频变压控制应在带有速度反馈的定子电流磁场定向矢量控制和直接转矩控制两个技术方案中选择。

7.3.5 为减少升船机的误载水深和升船机每航次通航运行时间，承船厢到达目标位置停止运行后，其标准水位面与水库或航道水面的高差通常要求小于±3cm，即要求控制系统能使升船机准确停位。为此，主电气传动控制系统应采用"点对点"的位置闭环控制系统。通常采用的控制系统结构形式有："位置"单环、"位置＋速度"双环、"位置＋速度＋转矩"三环等三种，其中，三环结构应用最为广泛。具有当转速环和转矩环内部某些环节的参数发生变化或受到干扰时，转矩（电流）反馈和速度反馈能对它们起到很好的抑制作用，使得位置环的动态误差较小，且有限幅保护作用。位置闭环方式可采用位置反馈信号为承船厢实际位置检测信号的全闭环方式，或位置反馈信号为驱动电动机非传动轴端电动机转角位置信号的半闭环方式。目前国内已建升船机的位置闭环均采用半闭环方式。

目前，国内垂直升船机承船厢都采用带机械同步轴的多机构分散同步驱动，分散的驱动机构经由刚性同步轴连接，实现多机构同步驱动的目的。在多电动机"机械同步＋出力均衡"同步传动控制方面积累有丰富的经验。

"机械同步＋出力均衡"控制也有两个方案可选："经转矩环出力均衡的主从同步"和"经速度环出力均衡的主从同步"。"经转矩环出力均衡的主从同步"的结构比较简单，可用于斜面升船机或以货运为主的垂直升船机，"经速度环出力均衡的主从同步"的结构相对复杂，但性能更为优越，适用于要求较高的以客运为主的升船机。

7.3.6 状态信息包括正常状态和故障状态两种，当状态信息超过设计界限时，系统应做出相应的安全保护反应。

7.3.7 升船机承船厢升降运行是一种多电动机同步传动的应用，需要同步起动/制动控制、出力均衡控制、准确停位控制、冗余热备及主从切换控制、故障联锁保护等诸多协调控制的功能。系统各驱动单元除本身需配置专用控制器进行各自的传动控制之外，尚需设置1套传动协调控制站对主电气传动系统和驱动机构的辅助设备进行协调控制。传动协调控制站接受和执行升船机计算机监控系统的控制命令，采集和上送执行结果信息；对主电气传动系统发送控制命令，进行参数设置和联锁保护，以及检测信号的信息交换；对驱动机构的辅助设备（如：制动器系统、润滑系统等）进行控制。传动协调控制站与主电气传动系统之间通常采用 MB＋、profibus-DP 等工业以太网或现场总线进行连接。不同现场总线的采用与产品的选型密切相关，因此，本条未对采用何种现场总线做出规定。

7.3.8 本条结合控制系统的结构特点和升船机运行要求，对主传动系统和传动协调控制站的运行控制方式做出了规定。

7.3.9 本条对承船厢主电气传动系统的关键功能做出了规定。其中"任一传动装置故障退出无扰动继续运行"的功能应根据不同升船机对承船厢驱动系统故障运行工况的规定来设置。对于客运升船机应设置这一功能。

7.3.10 本条规定的这些保护项目均是为升船机安全可靠运行而设置的。

7.3.11 交流变频调速装置的允许过载时间一般只有1min，这一过载能力仅仅对电动机启动过程是有作用的，而针对升船机主驱动电机的"短时间过载"升降运行工况而言，主电气传动系统的交流变频调速装置是不具备完成升船机一次升降过载运行能力的。因此要求交流变频装置参数应按照配套的电动机功率和运行要求进行选择。

7.3.12 垂直和斜面升船机的系统性能指标应根据具体工程的实际要求确定，但不能低于本条所提出的技术参数。

7.3.14 承船厢驱动机构设有多台主驱动电动机，并由机械同步轴刚性连接，提供了当个别电动机因故障退出工作时，允许升船机继续短时运行的可能。对水运交通十分繁忙河流上的升船机，允许升船机短时持续运行的能力是十分必要的。因此，电动机功率选取应充分考虑驱动机构事故工况下运行的要求。

承船厢水体的冷凝作用会使承船厢上设备机房内的湿度非常大，承船厢上的机房内壁经常会出现冷凝水（珠）。因此，当电气设备置于承船厢上时，其外壳的IP防护等级应按室外布置考虑，即不得低于IP54。

7.4 运 行 监 控

7.4.1 升船机的机械和电气设备种类繁多、复杂，控制与检测对象量大，其运行过程既是典型的顺序动作过程，亦会因为通航条件的改变需要变更运行程序。因此，为了减少人工操作次数，降低操作人员的劳动强度和精神负担，以防止因误操作引发事故危及航运安全,需设置计算机监控系统以实现升船机过船运行的自动化程序控制,提高升船机运行控制的安全可靠性。

多级升船机在土建布置上一般采用中间渡槽和渠道进行串行连接。多级升船机的运行关系到升船机、中间渡槽,以及渠道之间的安排与调度。因此,对于由两级或三级以上升船机组成的多级升船机,在各级升船机各配置1套计算机监控系统的基础上,还应设置1套计算机航运调度系统来负责多级升船机之间的航运调度和管理。对于在上(或下)闸首设置有辅助半船闸的升船机,应将辅助半船闸视为升船机的一个组成部分,其运行控制与管理直接由升船机计算机监控系统承担,不再设航运调度管理系统。

7.4.2 "硬件冗余、软件容错"是保障控制系统运行可靠性设计的基本方法。升船机的操作员工作站、重要现地控制站PLC、升船机上下游水位检测、承船厢行程检测等设备是升船机的关键部件,当它们出现故障退出工作时,对系统的安全可靠运行会造成很大的影响。因此,这部分设备应采用冗余设计和配置。同时,在软件设计和编程开发上,应设计和配置:命令发送的确认、数据采集的软件滤波和判断、关键动作条件的闭锁、"N重($N \geqslant 2$)"表决控制等措施和手段来进一步提高系统的可靠性。

7.4.3 升船机具有机电设备布置分散、监控对象局部集中、各机构按预定顺序动作、相对独立运行等特点。因此,宜采用集中监控管理和现地分散控制相结合的,具有纵向分层、横向分散等特点的分层分布式系统结构。目前,在工业自动化控制应用领域,计算机监控系统一般采用管理层、监控层、现场层三层网络来构架系统。但对于升船机计算机监控系统来说,由于其控制工艺和控制对象都是直接面向控制过程和现场设备,因此,其系统结构宜采用集中监控和现地控制的两层集散分布式系统结构。

集中监控层设备配置应根据升船机的规模大小、功能要求进行设计。

对于以客运为主的升船机的整体运行监控系统,从进一步提高升船机整体运行的安全可靠性角度考虑,可设置一个与操作员工作站软硬件结构形式完全不同(又称:异构冗余方式),由双机热备 PLC 构成的升船机流程控制站。此时,升船机流程控制站与升船机操作员站的功能分配和定义是:升船机流程控制站作为升船机流程控制的主控设备,负责升船机过船流程控制的协调与保护,而操作员站仅作为人机接口,提供流程控制的操作与监视界面,同时,操作员站作为升船机流程控制站的后备控制装置,具有升船机流程控制的功能。

7.4.4 系统网络采用分级的层次结构是分层分布式系统的一种典型网络结构。对升船机来讲,其集控层设备的配置具有数量较多,功能各异,相互间数据通信量较大,且多数设备与现地控制站之间不需进行数据通信与交换。因此,通过设置集控层网络,可以明晰各级设备间的数据链路,同时降低现地层网络的负荷率,从而提高系统整体控制的实时性。

按照网络作用范围大小的分类原则,升船机运行监控系统网络属于局域网的范畴。随着局域网中以太网络技术的飞速发展,以及以太网络设备工业化的日益成熟,工业以太网络的实时性、可靠性、安全性都得到了大幅提高,特别是网络交换技术在工业以太网络上的应用,使得交换式工业以太网络已经成为事实上的工业标准。采用以太网的最大的好处首先是开放和易于集成,其次是低成本。

7.4.5 现地控制站的设置应根据升船机运行工艺流程、受控对象(设备)的物理布置和控制功能要求来确定,并应遵循物理分散、功能分散、危险分散,同时尽量减少现地控制站间通信量的设计原则。现地控制层一般设有上闸首现地控制站、传动协调控制站、承船厢上厢头现地控制站、承船厢下厢头现地控制站、下闸首现地控制站和变电所现地控制站等多个现地控制站。在各现地控制站的站点设置时,应全面考虑升船机过船流程中顺序动作的相对独立性、机构动作的前后关系、机械系统的分类关系、动作执行机构和检测传感器的现场布置情况,以及现地控制站间的数据通信量等诸多因素,在满足设计原则的基础上,合理设置现地控制层控制站。

现场工业过程控制设备有很多种,如:工业计算机、PLC、DCS、PCS等设备。上述设备各有特点,适用于不同工业控制领域。升船机通航控制流程是典型的条件定序、事件驱动的顺序过程控制。具有机构动作和环节多、闭锁性强;控制点以数字量和开关量居多,模拟量和单PID调节回路较少;控制对象的过程控制律以逻辑控制和状态控制为主等特点。因此,计算机监控系统现地控制站的控制单元宜采用PLC。

7.4.6 升船机形式和机构类型的不同,其过船动作运行流程亦有所不同。升船机作为通航运行设施,过船运行工艺流程可归结为:通航初始化流程、上行流程、下行流程、停航流程、紧急保护流程等五大流程。

7.4.8 升船机的过船运行控制是一个典型的"条件定序、事件驱动"的顺序控制。集控系统的设置,要求在升船机中央控制室能对参与升船机正常通航运行的所有机械、电气和检测设备实现集中监视与操控。同时,可通过运行人员在现场的干预,实现对所有机械和电气设备的机旁操控。在过船运行控制过程中,由于需操作的对象(机构)多,操作步骤复杂,因此,过船顺序控制操作应采用自动程序控制。同时,考虑到设备调试期间操作的灵活性,以及故障处理后运行状态恢复操作的便利性,过船顺序控制还应设置单步动作(单项设备或机构)操作方式。

7.4.9 升船机具有控制站点多、操作对象多、控制方式多、运行流程多、操作步骤复杂的特点。根据升船机的运行操作要求,升船机控制系统配置有大量的开关、按钮、触摸屏、键盘等人机接口设备,因此,升船机控制系统的操作控制应具有防误操作闭锁设计。通常选择的开关多为带钥匙的非自复转换开关,且操作按钮和开关均具有输入防抖动功能,且在设备的电动操作控制回路中还串联以动作闭锁回路的接点,此外还要设置操作员控制权口令,运行人员确认选择后,方可执行有关操作命令等。

7.4.10 本条规定了升船机安全保护控制按钮的设置要求。

"紧急停机"按钮是一个强制停机按钮,对于承船厢驱动机构,该命令通过跳开变频传动装置主接触器及升船机其他动作执行机构电气主回路的主电源,同时使承船厢驱动机构的两级制动器上闸制动,以最快的速度停止升船机所有动作执行机构的运行;对于升船机除承船厢驱动机构外的其他动作执行机构,该命令通过跳开动作执行机构的主电源回路,以最快的速度停止其动作执行机构的运行。"紧急停机"按钮应采用非自复式大蘑菇头红色按钮,一旦发出指令,就一直保持命令状态,直到人为解除为止。"紧急停机"按钮的解锁,不能自动启动所有动作执行机构的运行,中断的自动流程需经由操作员重新启动。

"故障保护"按钮是布置在操作员站和升船机流程控制站上的安全保护控制按钮,用于启动升船机的"紧急保护流程",在通航运行控制流程中具有最高优先权。

"紧急停机"是一种严重非正常工作状态的安全应急处理措施,当"紧急停机"命令发出后,要求系统的各控制站应能同时执行紧急停机命令,使驱动装置和动作机构立即停止运转,以保升船机的安全运行。为了确保"紧急停机命令"的可靠传达与执行,对于由多现地控制站组成的升船机计算机监控系统,"紧急停机"命令需采用"连环群发"方式发出。即:首先接收到"紧急停机"命令的控制站,在执行紧急停机的同时,自动生成一个紧急停机信号"E1",并以广播的方式发送到系统中的其他所有控制站,直至升船机完全停止。

在隔河岩和彭水升船机中,"紧急停机"命令的"连环群发"方式的具体应用方案是:承船厢驱动系统的传动协调控制站接到自身的紧急停机命令后执行紧急停机动作,而接到其他现地控制站的"E1"紧急停机信号后,按"$-0.04 m/s^2$"的减速度执行电气制动停机动作。这是因为：传动协调控制站接收到"E1"信号时，承船厢驱动系统机电设备自身是正常的，采用"－0.04m/s²"的减速度执行电气制动停机动作，可以减少紧急停机对承船厢驱动系统的冲击。

7.4.11 安全联（闭）锁条件的"引用"有"软引用"和"硬引用"两种形式。由于网络软件系统的复杂性和安全性，一般来说"硬引用"方式的可靠性要高于"软引用"方式。因此，从安全可靠性角度出发，升船机安全联（闭）锁条件的"引用"方式仅采用"软引用"尚不足以保障系统安全，工程上通常两种方式均同时采用。国内已建隔河岩、高坝洲、彭水、水口和岩滩升船机均同时采用了两种方式。

升船机计算机监控系统的安全联（闭）锁的连接方案主要有两种，其一为通过对安全联（闭）锁条件的"引用"，由计算机监控系统来实现工业过程控制安全联（闭）锁功能；其二为设置一套自成体系并完全独立于计算机监控系统之外的安全联（闭）锁控制系统。正在实施的三峡升船机和德国新尼德芬诺升船机采用的是后一种方式。

7.4.12 不同形式的升船机，其故障保护要求亦不尽相同。升船机故障保护项目应根据工程实际需求进行设置。本条仅对升船机正常运行所需的故障保护项目提出基本的要求和建议。

7.5 非电量信号检测

7.5.1 不同的信号制式和输出接口，其传输距离和综合精度是不一样的，因此，应根据不同的实际要求选用检测装置二次仪表的输出接口形式。对于长距离传输的信号，应尽量采用 4mA～20mA 电流传输方式；对于需要高精度检测的项目，其输出信号应尽量采用数字信号，以提高检测精度。

7.5.2 冗余配置和容错设计可以大幅提高升船机运行的安全可靠性。升船机的重要检测项有：变幅大、变率高的上下游航道水位、承船厢的行程、水深等，为了防止因检测装置故障或漂移等导致误判,通常都采用多点和多种检测法进行检测。需要多点(冗余配置)测量的项目有:工作闸门间的间隙水深、停位找点、密封机构、宽大工作闸门的行程和位置等。

7.5.4 本条所列出的检测项目是满足升船机正常运行和故障保护所必需的基本检测项目。

7.5.5 承船厢上、下游停位的准确找点是升船机正常运行的先决条件。由于升船机上、下游停位随水位变化而改变,因此其检测的方案和配置十分重要。承船厢上、下游停位检测的方法有间接法和直接法,后者可获得更高的停位准确度。直接停位找点检测的原理是在上、下闸首工作大门的非迎水面,设置可跟随上、下游航道水位变化的浮动标志,并以此直接代表航道的水面线。在承船厢运行末期(减速—停机段)通过无接触的探测装置直接寻找适当的减速点和准确的停止位,使承船厢准确地停在目标位置上。

　　承船厢的尺度大,在升降运行过程中,各部位可能会产生不同量值的变形,使得测量值不相同。因而承船厢的行程和水深检测需要进行多点(如在四个驱动区布置测点)测量平均,以确定其实际值。采用平均值与各测点的测量值对比的差值,用于代表承船厢的水平度具有较大的可信度。

7.6 通航信号与语音广播

7.6.1 现行行业规范《船闸电气设计规范》JTJ 310 已规定了包括"远程信号"、"进闸信号"和"出闸信号"在内的通航信号灯的设置要求。同样是内河通航设施的升船机,应设置相同的通航信号灯。这些信号均为具有黑色背板、竖直排列的上红、下绿两色信号灯。灯具发光件的直径应大于或等于 200mm,黑色背板的面积应大于或等于 $0.5m^2$。

7.6.2 上、下闸首的进厢绿色信号灯互锁是为了避免上、下闸首两侧同时进船的事件发生,确保当上闸首的进厢绿色信号灯燃亮时,下闸首的进厢绿色信号灯应熄灭,相反亦然。

进、出厢的灯光信号与闸首和承船厢厢头工作闸门动作的互锁是为了避免船只进出厢与闸门关门动作发生冲突。当同一闸首和承船厢厢头工作闸门均处在开终位置时,进、出厢的绿色信号灯才可燃亮。此外,当上述工作闸门中,只要有一扇门离开开终位置时,绿色信号灯必须熄灭,红色信号灯必须燃亮。

7.6.3 航道宽度界限标志系为方便驾驶船舶进厢而设。航道宽度界限标志,通常为橙色信号灯或清晰可见的反光标志带,设置在上、下闸首两侧的边墙上,均朝向进厢船舶。标志的安装高度宜高于航道最高通航水位和承船厢标准水面线 2m～5m。

7.6.4 语音广播系统的作用是用于宣讲升船机的运行安全知识、指挥船舶安全地进出升船机、在紧急情况下指挥乘客疏散。同时,亦可供运行管理人员对现场值班操作人员进行调度指挥,是助航的有力工具。

7.6.7 语音广播系统的音频传输方式一般有定电压输出和定阻抗输出两种方式,两种方式均能满足升船机语音广播系统的音频传输要求,但定电压输出方式具有传输电流小、功耗及信号衰减小、传输距离远的特点。

7.7 图像监视

7.7.1 设置图像监视系统是为了方便集中控制室内的运行人员实时监视升船机整体运行情况。

7.7.2 条文所列的部位是运行人员需关注的重点场所,是需要装设摄像机的。运行人员要根据这些部位摄像机监视的画面情况,确认监视区域内没有危及人身和设备安全的影响因素后,方可进行下一步运行命令的下达。

8 消防及火灾自动报警

8.1 一 般 规 定

8.1.1 本条规定了升船机建筑物各部位的火灾危险性类别。对于垂直升船机，考虑到承船厢室运行空间狭小，且露天竖向升降运行，管理一旦不到位，就有可能从上部坠物至承船厢上，有可能对过机船只造成危害。当过机船舶为运输危险品的船舶时，如果发生上部未灭烟头坠落至承船厢，将可能导致灾难性的事故。因而运输甲、乙类危险品的油轮（驳）和危险化学品船只不得通过升船机。为此，升船机按丙类火灾危险建筑工程设计。

8.1.2 本条规定了升船机建筑物各部位建（构）筑物的耐火等级及各部位构件的燃烧性能和耐火极限。

8.1.3 承船厢室由于工艺布置的特殊性，不能按常规建筑物划分防火分区，只能作为一个防火分区考虑。

升船机上部的主提升机房，按工艺要求布置有提升钢丝绳的卷扬机或重力平衡钢丝绳的滑轮，面积大、空间高，工艺性质不允许对房间再进行分隔，相当于单层厂房，其火灾危险性为丁类，可按一个防火分区考虑。

升船机其他各建筑物防火分区的划分是按现行国家标准《建筑设计防火规范》GB 50016 的相关规定，结合升船机建筑物的特点制订的。

8.1.4 本条规定了升船机各部位安全疏散出口及疏散距离的设置原则，下闸首闸面及以上高程建筑物与水电站的副厂房、工业建筑厂房及办公楼类似，安全疏散出口及疏散距离的设置参照现行国家标准《建筑设计防火规范》GB 50016 相关规定，结合升船机建筑物的特点制定。承船厢室、下闸首闸面高程以下或封闭的部位，由于工艺布置的特殊性，其安全疏散出口及疏散距离的设置在本规范第8.2.1条给出了相应的规定。

8.2 消 防

8.2.1 承船厢承载船只在承船厢室内提升到某一高度发生火灾时，此时承船厢工作人员和船上人员最佳的疏散路线是：通过承船厢两端的疏散梯快速脱离承船厢，疏散至混凝土塔柱内的水平疏散廊道，再经混凝土塔柱内疏散楼梯或电梯向安全区转移。因此在承船厢室上、下闸首处左、右两侧的混凝土塔柱内沿高度方向每隔6m～10m应各设置一条与疏散楼梯或电梯相通的水平疏散廊道，这样可以保证人员安全快速的脱离火灾现场。高坝洲、隔河岩升船机在承船厢主纵梁外侧与水平疏散廊道对应的部位设置有竖向爬梯，用以适应与塔柱安全出口的高度差异。三峡、向家坝升船机则在承船厢驱动平台上设置有可调节高度的疏散楼梯。

疏散廊道靠承船厢室的端口设置向疏散方向开启的甲级防火门是为防止火苗、烟气进入，当人员需要疏散时可手推开启，并可避免由塔柱内向承船厢室意外坠落的事故发生。防火门附近设置室内消火栓及手提式灭火器是为方便消防人员灭火使用。消火栓用水量按承船厢停靠高程上部4个消火栓同时开启考虑，一次灭火用水量不小于20L/s。干粉灭火器是为适应电气设备火灾时灭火的需要。

8.2.2 当塔柱的高度超过32m时，由于垂直疏散路线长，"烟囱效应"明显，塔柱内应按现行国家标准《建筑设计防火规范》GB 50016的相关规定设置防烟楼梯间及前室。

8.2.3 升船机主提升机房、控制室、变电所、启闭机房及电梯机房等机电设备用房应按现行国家标准《建筑灭火器配置设计规范》GB 50140的规定配置灭火器；大于或等于1000t的大型升船机控制室较重要，发生火灾后，将严重影响航道的正常通行。为及时灭火，故按照有管网或无管网的要求设置气体灭火系统。

8.2.4 承船厢上的电气设备很多,一旦发生火灾应及时扑灭,以免导致大的灾害的发生,因而应设置消防灭火设施。除此之外,承船厢内过机船只发生火灾时,虽然船只本身配备的灭火设备可以进行灭火,但为保证高效和避免火灾延伸至承船厢,承船厢消防灭火设施还可以给以灭火支援。因而,目前新建的升船机在承船厢翼缘走道平台上多设有带供水泵的消防水枪。

8.2.5 承船厢及其所载船只的消防设备从承船厢内就地取水可简化承船厢供水系统的设计。但过多取水将影响船只在承船厢内的平衡,因而规定了消防用水量不超过承船厢蓄水量的 1/3 的要求。同时明确了,当消防用水量超过承船厢蓄水量的 1/3 时,应采取另外的供水措施或给承船厢补水的措施。

8.2.6 多级升船机两级之间一般由中间渠道或渡槽连接。多级升船机中间渠道及渡槽两侧设置室外消火栓有利于对失火船只进行辅助灭火。室外消火栓间距不得大于 120m 的要求是按两只水枪的充实水柱能同时到达考虑的。

8.2.7 地面以上和地面以下的划分界线为升船机下闸首闸顶面高程。

8.2.8 从火灾的发展过程考虑,一般来说,对顶棚的防火性能要求最高,其次是墙面,地面要求最低。控制室、通信室、变配电室等房间属于影响升船机安全运行全局的关键部位。空调通风机房是空气调节以及防排烟系统的核心部位,防火性能要求高。

8.3 火灾自动报警

8.3.1 根据国家有关消防法规的要求,结合目前国内升船机火灾自动报警系统的设计经验,以及现行国家标准《火灾自动报警系统设计规范》GB 50116 的要求制订本条。

鉴于升船机电气设备布置较分散,通常按上闸首、下闸首、承船厢室段和承船厢等部位布设设备,消防报警区域也应按此划分。这样划分的优点在于能缩小火灾自动报警系统发生故障时的影响范围,提高系统可靠性,便于运行维护管理,并能节省电缆用量,降低系统成本。

8.3.2 用于升船机的火灾自动报警装置设备,需要满足某些特殊的环境技术要求。例如蓄电池室采用的探测器需要有防爆能力,电缆廊道内采用的火灾探测器应为缆式线型并具有防潮功能等。另外,在装有联动设备、自动灭火系统以及用单一探测器不能有效确认火灾的场合,可采用同类或不同类型探测器的组合设置。所以,对于升船机火灾报警系统探测设备的选择,应该充分考虑被保护对象的火灾特性、使用环境、安装条件及满足的功能,进行全面综合的设计。

8.3.3 根据现行国家标准《火灾自动报警系统设计规范》GB 50116 的要求,应将集中火灾报警控制器、消防联动控制设备等布置在有人员值班的控制室或值班室内。升船机的集中控制室常有运行人员值班,将消防控制屏或控制终端设在集中控制室内,有利于值班人员同时对火警情况进行监视,且与该规范的要求一致。

8.3.4 安装火灾自动报警系统的场所均为重要的部位,火灾自动报警系统及时、准确地报警,可以使火灾损失大为减少。所以其主电源的可靠性要求高,有两个或两个以上电源供电,并能进行自动切换。同时,还要有直流备用电源来确保其供电的切实、可靠。对于火灾自动报警系统中配置的消防工作站、消防通信设备、事故广播等布置在集中控制室附近的交流用电设备,为了保证突然断电时设备还能正常工作,通常是由 UPS 进行供电的。

8.3.5 为避免重复建设,升船机通信系统通常都是调度通信系统与消防专用电话合用设计。当采用合用方式时,通信系统既要满足生产调度通信要求,也要满足消防专用电话的通信要求,即消防电话的通信线路须满足防火的要求单独布线,并且电话应具有快速、直接通话的功能。

8.3.6 升船机通常都设有 1 套用于正常指挥调度的通航指挥广播系统,现行国家标准《火灾自动报警系统设计规范》GB 50116 要求工程应设置有 1 套火灾应急广播系统。通航指挥广播系统用于正常运行，火灾应急广播系统仅用于火灾事故，设置 2 套广播系统太过冗余，通常工程都采用合二为一的设计，即与通航指挥广播合用。火灾应急广播系统是发生火灾后确保通知人员疏散的装置，因而所设的广播系统需首先满足消防广播的需求。

8.3.7 升船机均设有公共接地网，能满足电力系统设备接地的要求。火灾自动报警系统作为工程电气设备，接入公共接地网，能减少设置专用接地装置的各项设施。

8.3.8 升船机区域狭窄，人员较多。发生火灾时往往烟雾弥漫，能见度很低，给消防作业和人员疏散造成很大的困难。若没有应急照明和明显疏散指示标志引导，很容易迷失方向，造成人员伤亡。所以设置应急照明和疏散指示标志是安全疏散中不可缺少的重要措施。本条规定在升船机的各个疏散部位均应设置消防应急照明及疏散指示标志。